もくじ

二大政党

大阪で見えた二大政党の可能性　維新の会の大阪改革　４４

ＬＧＢＴ問題を考える

難民問題

沖縄　沖縄　沖縄

二大政党

共産党の議席は減り、立憲民主党左派の議席も減った。左系の議員が減っていった一方で保守の維新の会が増えた。野党は保守系が増加したのである。

二大政党は野党も保守でなければ実現しない。維新の会の増加は二大政党を可能にする。

今後も野党の左派議員は減り、保守議員は増えていくだろう。二大政党の実現にはまだまだ時間がかかるが、着実に二大政党の実現に進んでいる。

立憲民主は保守と左翼がバラバラになりつつある

立憲民主党は１０６人が出席する会議を開いた。会議は2時間半を超えて行われた。会議の冒頭で、補選で3戦全敗したことに対して泉代表は、「あと一歩だったが、負けてしまったことは克服すべき課題だ」と述べた。

泉代表の発言に対して蓮舫参院議員は、「悔しさがまったく見えない。いちばん変えなければいけないのは、代表の認識じゃないですか。何をやりたいか、何にしがみつきたいか、何を発信したいか、自分で今日、夜、持って帰ってしっかり考えてくれ」と、泉代表の考えを変えろと批判した。

泉氏は立憲民主党の代表である。泉氏が政党の代表になったのは泉氏の考えが支持されたからである。自分たちで選んだ代表に考えを変えろと要求するのはおかしい。泉代表の考えと違うなら自分の考えを主張するべきであって代表の考えを変えろというべきではない。

ネットでは蓮舫氏への批判が多かった。

「民進党時代、選挙で敗北した時の代表は蓮舫さんですよね。自分のことは棚上げですか？」

「民主系混乱のきっかけは蓮舫代表時の都議選敗退。そうした自分の経営能力のなさを棚に上げて、支えるより上から目線でこき下ろし」

自分の意見を言わないで泉代表の考えを変えろという蓮舫氏は横暴であり、泉代表を上から見ている。そこにはなんの発展性もない。立憲民主を迷路に引きずり込むだけである。だから、ネットでは蓮舫氏へのブーメランが飛んできたのだ。

蓮舫氏だけではない。出席者は泉代表へ批判をするだけで泉代表の進退を直接問う意見は出なかった。泉代表に対し、「進退を掛けるぐらいの意気込みを見せて欲しい」という意見だけで、自分が代表になり、これからの立憲民主を牽引して、立憲民主を盛り上げて発展させていこうとする出席者は一人もいなかった。

泉代表は保守系である。だから泉代表に近い執行部は維新の会との勉強会を推進しているし、自民党政府とも協議を積極的にしている。一方、左翼系は維新の会を敵視し、自民党政府の政策には徹底して反対する。左翼系は旧社会党系である。立憲民主は旧社会党系議員が多数派であり、保守系は少数派である。

外国人の送還や収容のルールを見直す入管難民法改正案で、与党から修正協議で譲歩を引き出しながらも左翼系が反対の圧力を強めたために、立憲民主は改正案に反対した。立憲民主が反対したので、立民執行部の主張を取り入れた難民認定を判断する「第三者機関」の設置検討は排除されて、与党と日本維新の会、国民民主党が提案した修正案を可決した。立憲民主の提案は排除された。交渉した執行部議員の努力が無に帰した。

立憲内部は政府と協議し、維新の会との勉強会に積極的である保守と保守の政治姿勢とは逆の左翼が混在している政党である。左翼は政党の代表による交渉で勝ち取った修正を反故にし、党の代表である泉氏に考えを変えろと要求している。立憲内の保守と左翼の分裂は次第に強くなっていくだろう。保守と左翼が分裂した状態ではしっかりした政策を出せないし、立憲民主の支持を下がる一方である。

6月18日

立憲民主の内部分裂は深まっていく
維新の会は立憲民主と決別

維新の会と立憲民主党は勉強会を開き、共同で法案提出するなどして協力関係にあった。しかし、現在は違う。対立している。

防衛費財源確保法案の採決を阻止するために鈴木俊一財務相の不信任決議案を立憲が提出したのに対して、維新の馬場伸幸代表は「立民が昭和の政治に戻った。非常に生き生きして、国会審議を妨害している」と皮肉ってから、「不信任は否決されるのは確実であり貴重な国会審議を無駄な時間に使うだけであると馬場代表は立憲民主を批判した。

憲法改正に反対する立憲民主は憲法論議の日

程を遅らした。立憲民主の遅延工作に怒った馬場代表は「立憲民主党をまず、たたき潰す。（立憲民主は）国会議員としての責務が分かっていない。国会で遅延工作をする先祖返りを起こしている。本当に国家国民のために、この方々は必要なのか」と激しく批判し。立憲民主との決別を宣言した。

鈴木俊務相の不信任決議案、憲法論議の遅延工作は国会審議を阻害するものである。国家国民のためにはしてはならないことをする立憲民主を馬場代表は「叩き潰す」と宣言したのである。

維新の会は入管法改正案とＬＧＢＴ理解増進法案は立憲民主が提出した法案に反対し、自民の提出した法案に賛成した。そして、立憲が提出した内閣不信任案にも反対した。維新の会は立憲民主と決別したのだ。維新の会が立憲と選挙共闘することはない。

泉代表も維新の会の立憲批判に対抗して反論し、維新との共闘はしないと宣言した。

これからの野党は維新の会、国民民主と立憲民主、共産党に分かれた状態になり、その状態が固定するだろう。

立憲は保守と左翼が合流した政党である。保守と左翼は主張の違いがある。泉代表は保守と左翼の板挟み状態であり、方針がいつも揺れている。

泉代表は維新や共産党とは共闘しないで立憲単独で選挙を闘うと宣言していたが、小沢一郎衆院議員らは、「野党候補の一本化で政権交代を実現する有志の会」を設立し、他党との共闘を主張した。立民所属の衆院議員９６人のうち５０人超が参加の意思を示したと小沢氏は明らかにした。他党と選挙協力をしないと宣言した泉代表に対する圧力である。すると他党とは共闘しないと宣言していた泉代表は共産党との共闘を言うようになった。揺れ続けている泉代表である。

共産党は共闘を望んでいるから共産党との共闘はできるだろう。しかし、それが立憲民主にプラスになるとは考えられない。

共産党は二人のベテラン党員を除名したので独裁主義だと批判されて、支持率は急落している。共産党と共闘すれば立憲も独裁だと思われ、支持率は落ちる可能性が高い。立憲を支持している連合は共産党を嫌っている。共産党との共闘には反対である。

立憲民主の内部は揺れに揺れている。このことをマスコミは正確に把握していない。

6月20日

立憲民主の保守と左翼の亀裂は深まっていくだけだ

野党は保守系の維新の会・国民民主と左翼系の立憲民主・共産党の二派に分かれた。維新が左翼系の立憲や共産党と共闘することはない。

国会の勢力図は自民・公明と国民・維新の保守と立憲・共産の左翼に分かれている。保守が圧倒的に有利な政局である。

マスコミは岸田首相が衆議院解散をやるかもしれないような報道を続けていたが、岸田首相は解散を絶対にしない。保守系が3分の2以上になり、戦後史で初めて憲法改正ができる状態になった。もし、解散をして保守系が3分の2以下になったら憲法改正ができなくなる。岸田政権が最優先しているのは憲法改正である。憲法改正の国民投票ができるまで衆議院解散はしない。当たり前のことだ。選挙をしたいのは立憲民主・共産党である。

マスコミは不信任案を出せば衆院解散を誘発しかねないと立民が危惧したと書いているが、立民が不信任案を出しても岸田首相は解散しない、事実しなかった。

衆院選の準備が遅れる中、不信任案を出せば衆院解散を誘発しかねないと泉代表は危惧したというが、見当はずれの危惧である。憲法改正するまで岸田首相が解散をすることはない。

自民党幹部は不信任案提出について「解散の大義」になるとけん制したが、これは自民党のサル芝居である。解散はしない。

マスコミは岸田首相が衆議院解散をしないことを見抜くことができない。

憲法改正に向かっている政局である。衆議院解散はない。保守が3分の2以上を確保している政局は安定した状態が続く。不安定な状態であるのは保守4党ではなく左翼の立憲民主と共産党である。

共産党は党首公選制の導入を求める古参党員の松竹伸幸氏（68）、鈴木元氏（78）を相次いで除名処分にした。両氏に同調した蛭子智彦氏（65）も除籍した。3人に同調している共産党員は多い。支持率も激減しているのが共産党である。共産党内部は大揺れである。

立憲民主内部も大揺れである。

他党との選挙協力に否定的な泉代表に対して、野党間の協力を主張して方針転換を求める動きが表面化した。党内に一定の影響力を持っている小沢一郎衆院議員らが会見し、「野党候補の一本化で政権交代を実現する有志の会」を設立したと発表したのである。立民所属の衆院議員96人のうち50人超が参加の意思を示したと明らかにした。

呼びかけ人となった衆院議員は以下の12人（敬称略）。

●阿部知子●稲富修二●小川淳也●小沢一郎●鎌田さゆり●菊田真紀子●手塚仁雄●原口一博●松木謙公●谷田川元●柚木道義●湯原俊二

名前を出すということは強い覚悟があるということである。12人を中心に野党共闘の運動を展開していくだろう。

小沢氏は、自身の事務所のTwitterにこう書きこんだ。

《このたび「野党候補の一本化で政権交代を実現する有志の会」を立ち上げました。野党が乱立すれば自民党を利するだけで、野党は勝てません。党内も野党間の協力と候補の一本化が大事だと思っている人が大多数です。心ある勢力を結集して自民党を倒し、政権交代を実現するために全力で闘って参ります》

保守派は小沢氏のように政権交代を優先している議員の集まりである。しかし、左翼は違う。反保守イデオロギーを優先しているのが左翼議員である。そのことが入管法改正案の協議の流れで明らかになった。

泉代表は保守系である。泉代表の執行部は保守系が中心である。執行部は自民、公明、維新との入管法改正案の実務者協議に参加した。立憲民主は難民認定を判断する「第三者機関」設置を検討するということを付則に記すことを主張した。立憲の主張を他の3党は受け入れた。4党の合意で入管法改正案は修正された。このままであれば入管法改正案は4党が賛成して国会で承認されるはずであった。しかし、4党合意の改正案は破綻した。立憲の左翼が反対したからである。

立民は4党合意の法案対応を決めるために会合を開いた。すると出席者から「不十分だ」「支援団体に顔向けできない」など入管法改正案に反対する意見が続出したのである。反対の圧力に屈した立憲執行部は、改正案に反対する方針を正式に決定したのである。立憲が改正案に反対したので立憲要求の「第三者機関」の設置の修正案は消されてしまった。

反対したのは旧社会党系の左翼である。

「普段、顔も出さない議員ばかりが来て、的外れな反対論をまくしたてた。政治家なら一歩でも前に進めることを選ぶべきじゃないか」。

会合に出席した保守系議員は憤った。反対論者の多くは旧社会党系だったとして「この党は活動家に乗っ取られている」と嘆いた。

これをきっかけに左翼系が立憲民主の主導権を握った。左翼は反自民イデオロギーが強い。それに維新を第二自民党と決めつけて反維新イデオロギーもますます強くなっている。

左翼は他の3党と合意したことよりも反自民・反維新イデオロギーを優先させて4党合意に反対したのである。

6月16日

国会は与党対野党ではなく保守対左翼の図式に変わった

国会の勢力図が維新の会の存在で大きく変わった。国会は与党と野党に分かれ、与党が政権を握る。与党になって政権を握るのがそれぞれの政党の目的である。衆議員の過半数を確保した政党が与党になる。一つの政党では与党になれない場合は与党の座を確保するために複数の政党が連携する。自民党は単独では与党になれなくなった時に公明党と連携して与党を維持した。

与党になれない政党は野党となる。国会は与党と野党が対立する構図である。与党が政策に失敗して国民の支持を失った時は、野党である政党が選挙で勝ち与党になる。国会は与党対野党の対立で成り立っている。しかし、最近の国会は与党対野党の対立の構図ではなくなった。
野党が保守と左翼に分裂したのである。保守は維新の会と国民民主であり左翼は立憲民主と共産党である。保守と左翼は政治姿勢が違う。だから、政策も違う。法案に対して対立するのが保守と左翼である。入管法改正案とLGBT理解増進法案に対して保守の維新、国民と立憲、共産は対立した。

入管法改正案に対して国民と維新は賛成、立民、共産は反対した。野党が賛成と反対に分かれたのだ。与党の自民、公明と野党の維新、国民の圧倒的多数の賛成で入管法改正案は可決された。

LGBT理解増進法案は2年前に作成した法案を立憲民主が提出し、立憲民主提出の法案を改正した法案を自民党が提出した。今までなら立憲民主の法案と自民党の法案のどちらを選ぶかになるはずだが、二つの法案に対して維新、国民が新たに法案を提出した。三つ巴になるかと思いきや自民党が維新の法案を丸のみにして自民党の法案を改正した。維新の法案を自民、公明、維新、国民4党の統一提案の法案としたのである。維新が作成した法案が圧倒的多数の賛成で成立したのはいうまでもない。

もし、野党が立憲民主を中心に連帯していたら、立憲案と自民党案が提出され、自民党が提出したLGBT理解増進法案が可決されていただろう。ところが野党が分裂しているのが原因で野党の維新が作成した法案が可決されたのである。野党の法案が可決されたのは国会史上初めてではないか。

LGBT法案は自民党内で紛糾している法案であり、自民党にとって厄介な法案であった性もあって維新の法案が可決された。こういうことは滅多にないことである。野党内の保守と左翼の分裂が原因で野党の法案が可決されたという珍しいことが起こったのである。

4月29日

入管法改正案に自民・公民に維新・国民が賛成で可決　立憲民主・共産党の孤立

入管法改正案が衆議院法務委員会で自公だけでなく維新、国民も賛成して可決した。今までなら与党の事項が賛成、野党が反対して、マスコミは与党による強引な法案成立などと記事にしていたが、今回は違った。野党である維新と国民が賛成したのである。マスコミは「与党による強引な法案成立」とは書けなくなった。

自民、公明、維新、国民は保守政党である立憲、共産党は左翼である。今回は保守政党と左翼政党に分かれた政治判断が下されたということである。与党対野党という構図ではなく保守対左翼の構図がはっきりと表れたのが入管法改正案の可決である。だからといって維新、国民が自民党と合流したのではない。維新、国民は野党であり自民党と連携する与党になったのではない。

入管法改正案可決の過程で立憲民主内には保守系と左翼系が存在していて対立していることが分かった。

外国人の収容・送還ルールを見直す入管難民法改正案を巡り、自民、公明、立憲民主、日本維新の会の4党の実務者が協議した。立憲民主の実務者寺田氏らの主張した難民認定を判断する「第三者機関」の設置を検討するということを付則に記すという修正案を提示した。交渉した実務者は修正案に賛成であった。しかし、立民が法案対応を決めるために開いた会合では、出席者から「不十分だ」「支援団体に顔向けできない」など入管法改正案に反対する意見が続出した。立憲執行部は、改正案を蹴って反対する方針を正式決定した。立憲が改正案に反対したので寺田氏が確保した立憲要求の修正案は消されてしまった。立憲の提案が消された改正法案が可決したのである。寺田氏たち実務者の努力は立憲執行部によって破棄されたようなものである。

5月14日

野党　保守＝維新の会・国民民主　保守＋左翼＝立憲民主　左翼　共産党・社会民主

立憲民主内の保守と左翼が対立し、内部抗争が激しくなると予想していたが、予想は外れた。保守系は立憲民主を離脱して国民民主を結成している。国民民主は立憲と決別し、維新の会と共闘するようになった。立憲民主内に居る保守系は左翼とも通じている保守ということだ。つまり左翼に弱い保守である。

左翼の蓮舫議員に「何を発信したいか、自分で今日、夜、持って帰ってしっかり考えてくれ」と言われた保守系の泉代表は蓮舫氏の発言に反論しないで「家に帰って考える」と答えている。家で考えた泉代表は考えを変えて左翼の主張と同じになった。

今まで共闘していた日本維新の会について「どうしてもすぐ自民党の誘いに乗ってしまう感じがする。政権与党から譲歩を引き出す場で重みや慎重さが大事で、すぐ与党の誘いに乗ってしまうのでは野党としては戦えない」と維新の会との決別を示唆するようになったのである。

泉代表が維新を批判する根拠にしているのが「自民党の誘いに乗る」ことである。泉代表は今まで進めてきた維新との勉強会をやめると宣言した。維新の会とは完全に決別するということだ。

泉代表は、維新と共同提出を準備中の複数の議員立法について、「(共闘の）最終便だ。おそらくこれが最後だ」と述べた。「(自民党と）対抗する姿勢が見られない」と維新を批判し、「立民として独自の道を歩む。自民と似通った考え方では政権交代の選択肢にならない」と述べた。

泉代表は保守系である。だから泉代表に近い執行員は維新の会との勉強会を推進してきたし、自民党政府とも協議を積極的にしてきた。しかし、左翼系は維新の会を敵視し、自民党政府の政策には徹底して反対している。左翼系は旧社会党系である。立憲民主は旧社会党系政治家が多数派であり、保守系は少数派である。少数派の泉代表は左翼の圧力に押されて左翼と同じ反自民、反維新に180度転換したのである。泉代表の方向転換には左翼の強い圧力があった。

立憲民主の保守系は維新の会には親近感がある。だから、勉強会をやり、法案の共同提出もしたのである。しかし、左翼は違う。左翼は徹底的に自民党と敵対している。自民党をあらゆる方法で攻撃して潰さなければならない政党である。自民党とは水と油の関係であると思っているのが左翼である。維新は違う。左翼が敵対している自民党と政策協議をして自民党が提出した法案に賛成する時もある。維新の会は自民党に近い。左翼にとって維新は自民党と同じ政敵であるのだ。

大阪では立憲民主の議席は維新の会に奪われた。大阪立憲にとって維新の会こそが宿敵であるのだ。立憲の議席を獲得するために立憲は最高顧問である菅直人元首相（75）を大阪に送った。大阪では維新によって立憲は壊滅に近い状態まで追い込まれた。危機的状況を回復させるために菅元首相を大阪「特命担当」に任命したのである。

特命担当の菅氏は「維新は自民党の別動隊だ」と力説した。

「現在は衆議院で第3党の維新は、自民党よりも思想が右寄りだ」「

「立憲を抜いて野党第1党に躍り出れば、自民はもっと右傾化する」

「そうなれば、日本は極めて危険な状況になる—

—」

立憲民主の左翼は維新の会は自民党より右翼だと主張している。立憲が右翼の維新と共闘することは絶対に許されないことである。菅氏や蓮舫氏など、立憲民主の実権を握っている左翼にとって維新と勉強会を開いたり、共同で法案提出することは許されないことである。だから、泉代表に圧力をかけた。左翼の圧力で保守系の泉代表は勉強会、共同法案提案をしないと宣言した。親維新から反維新に方向転換したのである。立憲は左翼政党になった。

維新と決別した立憲民主は同じ左翼の共産党と共闘するようになった。両党は共同して維新と国民が同意した入管法改正案に反対し、の対案を提出した。また、衆院財務金融委員会の塚田一郎委員長（自民党）に対する解任決議案も提出した。維新と国民は提出に反対した。

維新の会は、国民民主党と参院に議員立法2本を共同提出した。維新幹部は「立民は『立憲共産党』でやっていけばいい」と冷ややかに語った。


野党は保守の維新の会・国民民主と左翼の立憲民主・共産党にはっきりと分かれた。野党が保守と左翼に分かれたことは過去になかったことである。維新の会の登場によって野党が保守対左翼の構図ができた。

過去になかった野党の構図ができたのである。この構図ではっきりしているのは、左翼は衰退し続けていることである。

5月19日

立憲共産路線で、なにが悪い（石垣のりこ参議員）　立憲民主分裂へ進む

立憲民主党の石垣のりこ参院議員はＴｗｉｔｔｅｒで、

「立憲共産路線て、なにが悪いんですかね？」と書き込んだ。石垣議員は共産党との共闘に賛成なのだ。石垣議員のように共産党との共闘に積極的であるのが左翼系である。

石垣議員は共産党と共闘する理由を次のように述べている。

「私は、日本のファシズム化に抵抗する全ての人々と、党派や来歴に関わらず、共闘し、共に歩みたいと思っています」

ファシズム化しようとしている政党が自民党ということか。そして、維新の会は自民党よりも右翼であると断言しているのが立憲民主左派であるし共産党である。維新の会もファシズムということだ。

自民党は国民の選挙で選ばれて過半数の議席

を獲得して与党になった。維新の会は圧倒的多数の大阪市民に支持されている。国民が選んだ自民党や維新の会をファシズムと決めつけているのが石垣議員である。頭がおかしいと思わざるを得ない。

石垣議員は共産党との共闘を正当化するために、

「人権と議会制民主主義を守ろうとする陣営が、協力し合うのは当然じゃないですか」

と述べている。この理屈なら自民党、維新の会とも共闘しなければならない。しかし、石垣議員は自民や維新との共闘は無視し、共産党との共闘を強調している。

石垣議員は共産党との共闘を正当化する目的でごたくをならべているだけである。

反自民・反維新で立憲左翼と共産党は一致している。だから、石垣議員のような立憲の左翼は共産党との共闘を目指している。しかし、泉代表は共産党との共闘を否定した。原因は立憲民主の最大支援団体である連合が共産党との共闘に反対だからだ。連合は共産党との共闘に断固反対し、国民民主との共闘を要求している。ところが国民民主は立憲左翼が嫌っている維新との共闘を進めて、立憲との共闘を避けている。共産党は立憲との共闘に積極的である。

立憲民主は党内左翼、連合、国民民主、共産党によってカオス状態になっている。

立憲民主の保守系が離脱　保守系の離脱は増える

松原仁衆院議員が離党届けを出した。松原氏は旧社会党系の左翼ではない。保守系の政治家である。立憲民主が左翼系実験を握り、反自民、反維新の傾向が強くなった。左翼系が支配し、しかも国民の支持率も下がってきた立憲民主に愛想をつかして離党するのだ。

これからも保守系の議員の離党は増えていくだろう。共産党と立憲民主の衰退は止まらない。

6月28日

離党議員「さらに増えるのではないか」ではない　「確実に増える」だ

立憲では、松原仁・元拉致問題担当相の離党に続いて徳永久志衆院議員が離党届を提出した。立憲内では「さらに離党者が増えるのではないか」（中堅議員）との懸念が広がっているという。「さらに増えるのではないか」ではない。離党議員は確実に増える。

世論調査の支持率では野党支持層では維新の支持率が立民の倍以上になっている。圧倒的に維新支持である。維新の支持はずっと増え続けている。これからも増えるだろう。

衆議院選挙で維新の議席が増えて立民を逆転する可能性が否定できない世論調査である。支持率が下がっている立民が与党になる可能性はないだろう。維新と共闘すれば与党になれる可能性はあるが立民の左翼が主導権を握っている間は共闘の可能性はない。維新が断る。

与党になれない立民に見切りをつけて離党する保守議員はこれからも出てくる。予備軍が「野党候補の一本化で政権交代を実現する有志の会」である。立憲が維新、国民民主と共闘できないことがはっきりすれば、「有志の会」に参加した議員が維新、国民と共闘を目指して立憲を離党するだろう。保守議員が離党した立民の支持率はますます下がっていく。

左翼だけになった立民ならば、共産党や社民党のように少数政党になるだろう。

5月15日

連合が嫌っている共産党と共闘すれば立憲民主はますます弱体化

立憲民主は維新の会と決別して共産党との共闘を選んだ。立憲民主の最大の支援組織である連合は共産党を嫌っている。芳野連合会長は会長就任直後から、「連合と共産党の考えが違う。立民と共産党の共闘はありえない」と言い続けている。

立民が共産と政策の実現に必要な範囲でのみ協力する「限定的な閣外協力」を確認した時に連合は不快感を示した。選挙で立民議員を支援しなかったケースもあったくらいである。連合は徹底して共産党を嫌っている。

連合が嫌っている共産党と共闘するようになったのは左翼系が主導権を握るようになったからである。共産党との共闘が強くなればなるほど連合の立憲への支持は確実に落ちていく。

立憲民主はますます議席減への道を歩んでいる。

芳野友子連合会長は衆院選で立憲民主党と日本共産党が共闘したことを激しく批判。出演したBSテレ東の番組でも、「連合と共産党の考えが違う。立民と共産党の共闘はありえないと言い続ける」と言い、さらに来夏の参院選に向けた連合の活動方針では野党共闘に一定の理解を示しながらも、「考え方の違う共産党が入るのはちょっと考えなければいけない」と、あらためて共産党に対して強いアレルギー反応を示していた。

日本最大の労働組合の全国中央組織「連合」は先の衆院選について、立憲民主党や共産党などの野党共闘に批判的な総括をした。労働者が団結して賃金や雇用環境などの改善を勝ち取るための団体である労組がなぜ、政治に影響力を持つのか。

連合とは

◆労働組合まとめる全国組織

Q　連合って何。

A　正式名は「日本労働組合総連合会」です。業界ごとに分かれた48の産業別労働組合（産別）と、中小零細企業や個人を主な対象にした47の地方連合会から成り立っています。12月2日現在、組合員は約704万人。経営側の経団連が自民党を支援するのに対し、連合は立民、国民民主両党の最大の支援組織で、両党には産別出身の議員がいます。

Q　労組が政党を支える理由は。

A　労働環境を良くするには、労使交渉に加え、制度や法律の改正など政治の力も大きいからです。連合初の女性トップ、芳野友子会長は、「各企業の労使関係、労働条件の改善に取り組むだけでは生活は良くならない。働く人、生活者の立場に立った政治勢力の拡大が、政策を実現するためには重要だ」と述べている。

Q　衆院選で立民と関係がぎくしゃくしました。

A　立民が共産と政策の実現に必要な範囲でのみ協力する「限定的な閣外協力」を確認したことに連合は不快感を示し、立民議員を支援しなかったケースもありました。国民民主は共産と距離を置き、衆院選後は国会で立民との協力関係を解消しました。

Q　なぜ、共産との協力に否定的なのですか。

A　1989年の連合発足時、共産系の労組が路線の違いで合流せずに「全国労働組合総連合（全労連）」を結成し、対立した経緯が背景にあります。連合傘下の産別も、公務員中心で旧社会党を支えた日本労働組合総評議会（総評）系や、民間企業主体で旧民社党を支持した全日本労働総同盟（同盟）系など政治的な考えに違いがあります。

共産党は連合と対立する全労連が支持している。連合が共産党を嫌うのは当然である。

6月27日

立憲は保守と左翼に分解するのは確実だ

立憲民主党が分解するのは時間の問題となってきた。

小沢一郎衆院議員ら12人が呼びかけ人となり、「野党候補の一本化で政権交代を実現する有志の会」を結成した。所属衆院議員96人の過半を超える53人が賛同している。

小沢グループは野党共闘によって自民党を倒して与党になるのを目指している。与党を目指しているのが小沢グループである。立民に小沢グループとは違い左翼イデオロギーを優先させているグループがいる。石垣のりこ参議員は「立憲共産路線で、なにが悪いんですかね」と共産党との共闘を優先させてするグループが存在する。

小沢グループは全野党・維新の会、国民民主・共産党との共闘を目指している。しかし、共産党は維新・国民は第2自民党であると決めつけている。共産党は維新、国民とは絶対に共闘はしない。立民が共産党と共闘するということは維新、国民とは共闘しないということだ。

立憲と共産だけの共闘では確実に与党にはなれない。このことがはっきりしたのが読売の世論調査である。

立憲民主党と日本維新の会に関する世論調査の主な結果

◆自民に対抗する野党としての期待度

	全体	野党支持層	無党派層
立民	26%	36	23
維新	40%	53	35

◆衆院選比例選での投票先

立民	9
維新	13

◆政党支持率

立民	4
維新	6

※読売新聞社全国世論調査（23～25日実施）から

立民の政党支持率は４％にとどまり、維新の６％に届かない。維新を下回るのは３か月連続である。次期衆院選での比例選投票先でも９％と、維新の１３％にリードを許している。「自民党に対抗する野党として主導権を握るべきだと考える党」では、維新の４０％に対し、立民は２６％と大きく水をあけられている。野党支持層に限ると立民３６％、維新５３％である。無党派層で見ても立民２３％、維新３５％となっている。

維新抜きで与党になることはできないのが野党である。そのことを世論調査がはっきりと示している。小沢グループは維新と共闘しなければ与党になれないことを認識するだろう。だから、立憲と維新との共闘を主張していくことになる。しかし、左翼は反対する。立憲は保守と左翼の主導権争いになるだろう。保守が主導権を握れば維新との共闘が実現するだろうが負ければ現在のように維新との対立が続く。そうなれば保守グループは立憲を離党して、維新との共闘を目指すだろう。

立民の保守が維新と共闘するために左翼と分解するのは確実である。

7月14日

連合の矛盾は官公労系と民間産業系の同居にある

連合が支援する立憲民主、国民民主両党の対立に苦慮している。両党に再結集を呼びかけるものの、方針の隔たりは大きく、選挙協力すら見通せない状況であると読売新聞は報じている。

連合傘下の産別は、2017年の衆院選をきっかけに、自治労や日教組など官公労系が立民、UAゼンセンや自動車総連などの民間産別が国民をそれぞれ支援する構図になっているという。連合とは官公労系と民間産業系が合流している団体であるのだ。公務員は民間労働者の税金を収入とする。公務員と民間労働者が同一の団体に属していることはおかしいことである。矛盾していると言える。

矛盾していることを認識した政治家たちが立憲民主を離党して国民民主党という政党を結成した。

連合は立民と国民の両党に結束を呼びかけている。組織力の低下や労組票の分散が年々顕著になっているからだ。しかし、両党に再結集を呼びかけるものの、両党の方針の隔たりは大きく、選挙協力すら見通せない状況である。

立民と国民が結集することはない。立憲を支持している自治労や日教組など官公労系とは政治の根本で対立するからだ。

連合は官公労系と決別するべきだ。決別して民間労働者のための運動を発展させるべきである。そして、国民民主と立憲を離党した保守系政治家を応援するべきである。

連合の官公労系と立憲は共産党と共闘するようになるだろう。左翼の一体化である。

読売新聞記事の抜粋である。

連合が両党に結束を呼びかけるのは、組織力の低下や労組票の分散が年々顕著になっているためだ。連合傘下の産別は、2017年の衆院選をきっかけに、自治労や日教組など官公労系が立民、

ＵＡゼンセンや自動車総連などの民間産別が国民をそれぞれ支援する構図となっている。

ただ、立民が綱領に掲げる原発ゼロ政策は、国民を支援する電力総連など民間産別を中心に忌避感が根強く、両党の連携の糸口は見えていない。

共産党との距離感にも違いがある。立民が次期衆院選で共産党を含めた他党と候補者調整を行う方針を示したことに、国民は反発。国民の玉木代表は８日、奈良市で記者団に「立民との調整、協力は極めて難しい」と態度を硬化させている。

一方、電力総連は１３日、自民党の小渕優子・組織運動本部長らと都内で約１時間、政策協議を行った。関係者からは「国民は勢力が小さく、立民は『左旋回』している。政策実現のため自民に接近するのは当然だ」との声が出ている。

読売新聞

維新の会と共闘している国民が左翼系が主導権を握っている立憲民主と共闘することはない。

連合は国民が立民と共闘しない理由を知るべきである。連合は連合の内部矛盾を整理しなければならない時期にきている。

７月１５日

小沢一郎の「立憲民主よ、野党共闘を今すぐ再構築せよ　政権交代がなければ日本は沈没する！」に笑ってしまう　小沢一郎流の野党連合は「政権交代しても日本は沈没する！」

小沢一郎氏が吠えた。「政権交代を実現することが、野党第1党の最大の目標でなければならないのに代表や幹事長は政権取る気がない。有権者を欺いている」

「自民党政権はけしからん。これじゃ駄目だとか、こんなスキャンダルをやっているとか、（野党は）いろいろ批判する。しかし、政権を取る意思がないのに、私たちはこうしますって言えますか。政権を取って初めて私たちの主張を実現できるんでしょう。政権を取る気がないのに、ああします、こうしますって、有権者を欺いている」

と立憲民主の代表、幹事長を批判したのである。立憲民主創立に小沢氏は深く関わっている。立民の政治姿勢をつくり上げた一人が小沢氏であり、立民の代表が政権を取る気がない状態になつた原因は、これまでの立民の流れが原因である。責任は小沢氏にもあるのだ。立憲が政権を取れない状態にした一人が小沢氏であるといっても過言ではない。

自民党系の保守と旧社会党系の左翼が合流して設立した政党が民主党であった。自民党を離党した小沢氏は左翼系の議員と合流したのが民主党である。

自民党の腐敗した派閥政治に反発した国民は保守と左翼の混合政党であった民主党に期待して支持し、民主党は与党になった。

国民は保守と左翼が化合して新たな政治が生まれることを期待して、民主党を支持したのである。しかし、民主党は国民の期待を裏切った。保守と左翼の混合政党は国民の期待を裏切る政治をした。だから、国民は民主党を支持しなくなった。

保守と左翼の混合が現在も続いているのが立憲民主党である。そんな立憲民主が再び与党になれるほどに国民が支持することは二度とない。

保守・左翼の混合政治の首謀者の一人である小沢氏は再び混合を目的にした野党共闘を主張している。小沢流の野党共闘を国民は支持しないし、実現することもない。維新の会と国民民主が確実に参加しないからだ。そんなことも知らないで代表や幹事長に野党共闘を要求している小沢氏である。立憲民主の支持率が落ちた原因が自分にあることも知らない小沢氏である。

立民の支持を回復するためには保守と左翼の徹底した論争が必要である。論争で保守が勝利するのは絶対条件である。左翼が勝てば国民が支持しない政党になる。

「政権を本当に代えれば、根本から利権の構造や既得権の仕組みを変えることができる。政権交代のない日本は、完全な民主主義国家ではない。」

「政権交代がなければ日本は沈没する」には笑ってしまう。

民主党政権の政策が日本沈没寸前までさせたのである。沈没を防ぎ、景気を回復させたのが自民党の安倍政権である。

日本は議会制民主主義国家である。政権交代がないのは自民党と肩を並べることができる政党が存在しないからである。保守と左翼が混合している立憲民主だから国民は与党にしないのである。

小沢氏は野党共闘が実現できないことを理解していない。時代遅れの野党共闘を振りかざしているのが小沢氏である。

7月22日

小沢氏と志位委員長が協議　立民との共闘に必死の共産党

内なる民主主義32で掲載した共産党問題である。

・共産党に強烈な爆弾投下「シン・日本共産党宣言」

・強烈な爆弾松竹氏を除名

・維新・松井氏　共産党は「言論の自由奪うおそろしい政党」

・共産党が朝日新聞とバトル開始

・今度は田村政策委員長が毎日社説噛みつく　マスメディアと敵対する共産党は愚か

・「共産党は党是に背く者はだれであれ粛正する」と断じる現代ビジネス

・共産党は社会主義国家を目指している左翼政党　崩壊した社会主義にすがりつく共産党に明日は・・・

・維新の会を「自民党以上に危険な政党」と主張する共産党は議席減　維新の会は議席増

・共産党は変われない　退潮は確実に進む

共産党の退潮は統一地方選で明らかになった。共産党は統一地方選で大きく議席を減らし、退潮傾向が鮮明になった。議員選で計135議席失った。有していた議席の1割超である。統一地方戦で退潮が著しいことを思い知らされた共産党は、共産党単独では回復するのは無理だと考え、立憲民主との共闘で議席回復を目指している。

志位委員長が小沢一郎氏と東京都内で会食をした。

次期衆院選に向け、野党間の候補者一本化の方策について協議したとみられる。会合には、共産の穀田恵二国会対策委員長も同席した。小沢氏は元自民党員である。立憲民主党員の中では保守系であり、共産党とは政治姿勢が異なる。政治共闘はできるはずのない小沢氏と志位委員長が会食したのである。目的は小沢氏が主張している野党共闘を実現するためである。

小沢氏を引きずり込んで立民との共闘を実現したい共産党なのだ。立民との共闘に必死の共産党である。

7月23日

維新の会と立憲民主の対立の原因は立民の左翼にある

「内なる民主主義32」で「立憲民主は小西文書より維新の会との共闘・勉強会が重要」を掲載した。

小西文書は政策ではない。総務省の裏側を暴露したスキャンダルである。政策を討議するべき国会にスキォンダルを持ち出して、高市大臣の辞任を迫るのは立民の左翼系である。このようなスキャンダル追及で国民の支持を得ることはできないと立民左翼を批判し、立民は小西文書より維新の会・国民民主と政策勉強会を進めていくべきであると「内なる民主主義32」で指摘した。

立憲民主と維新の会は勉強会を開き、政策でも共闘していた。

立民と日本維新は、児童手当の所得制限を撤廃するための法案を共同提出した。ガーシー議員のように正当な理由なく国会に登院しない国会議員への歳費の支払いを制限するための歳費法改正案を共同で参議院に提出した。憲法改正や安全保障、エネルギーなど「国の根幹にかかわる問題」に関しても維新の会は合同勉強会の開催を提案し、立憲民主党の安住淳が受け入れていた。泉代表は保守系である。だから、維新の会との政策勉強会を進めていった。

「昨年の臨時国会に引き続き、23日召集の通常国会でも立憲・国民と連携する方針である。維新と立憲は岸田文雄政権が検討する防衛増税に反対し、行財政改革や「身を切る改革」によって財源の対案を示す方向で合意している。国民民主にも呼び掛けている。

野党にとって一番必要なのは共闘である。共闘するためには政策を一致させる必要がある。維新と立憲は行財政改革で政策が一致した。だから共同で法案提出して自民党と政策論争をする。維新は国民民主にも参加を呼び掛けている。国民民主が参加すれば野党三党の共闘が成立する。

「内なる民主主義３２」

維新・立民・国民の野党三党の勉強会を私は支持していた。しかし、立民の左派が勉強会を潰した。そのことを６月１２日のブロク゛に「立憲民主は保守と左翼がバラバラになりつつある」を掲載した。

左翼の圧力が強く、維新との勉強会はなくなり、維新とは対立するようになった。国会も左翼のやり方が復活した。

立憲民主党は衆院選で、辻元清美氏をはじめ黒岩宇洋、今井雅人、川内博史各氏ら国会審議で政権批判やスキャンダル追及をしてきた左翼系の「論客」が落選した。左翼系は後退し、その結果保守系の泉氏が代表になり、保守系の執行部が誕生した。保守系の泉代表は維新と接近していった。

維新との接近に危機感を抱いたのが左翼である。

左翼は泉代表のやり方をつぶしにかかった。

左翼が主導して１０６人が集まる会議を開いた。会議では徹底した泉代表批判が展開された。その日から立民は左翼が主導権を握った。泉代表が進めていた維新との勉強会はなくなり、維新とは政治方針も対立するようになった。立民は「昭和に戻った」と維新に皮肉を言われるような以前の左翼流の運営になっていった。

維新と立民が対立するようになったのは左翼が立民の主導権を握ったからである。

福島原発処理水の放水問題は保守と左翼の区別をはっきりさせた　日本だけでなく韓国も

国会を与党と野党というふうに分けるのではなく、保守と左翼というように分けた。保守は維新の会と国民民主であり左翼は共産党と社会民主である。そして、立憲民主は保守と左翼の混合である。

福島原発処理水の放水問題で容認するのは維新と国民の保守政党、反対するのが共産党と社民に立憲の左翼である。放水問題で保守と左翼の違いをはっきりした。はっきりしたのは日本だけでなく韓国でもはっきりした。韓国の左翼政党共に民主党は原発処理水に反対である。

日本の左翼も韓国の左翼も同じイデオロギーである。ソ連の社会主義イデオロギーを基盤にしている。だから、反資本主義を掲げ反米主義であり、反自民党である。

日本の共産党、社民党が福島原発処理水の放水に反対であるように韓国の左翼政党である共に民主党も反対である。

左翼に共通するのは反自民、反保守である。共産、社民にとって自民は敵であり、自民の政策には反対する。韓国の共に民主党にとっては日本の自民党、韓国の「国民の力」は敵である。だから、自民党がやろうとしている福島原発処理水放出に反対である。

８月９日

処理水放出反対は左翼である韓国の共に民主党、日本の共産党、社民党、立憲民主の一部である

ウィーンで開かれている核拡散防止条約（ＮＰＴ）再検討会議の準備委員会で８日、東京電力福島第１原発の処理水放出計画に関して、ほとんどの国が国際原子力機関（ＩＡＥＡ）の見解を支持し、処理水放出に賛成した。韓国政府も放水を容認した。ところが一国だけ放水に反対した。その国が中国である。中国の一国だけが放出に頑強に反対したのである。

中国と同じ放出に反対する政党が韓国の共に民主党であり、日本の共産党、社民党と立憲民主の一部の議員である。反対した韓国と日本の政党は左翼である。立憲民主の反対した議員も左翼である。

世界中で左翼だけが処理水放出に反対している。放出反対の左翼は圧倒的不利な立場に追いや

られている。危機間を募らせた韓国の「共に民主党」は8日に国会で「日本福島原発汚染水海洋投棄阻止に向けた児童・青少年・保護者懇談会」を開催した。懇談会にはなんと、小学2年生の児童を参加させ、発言させた。8歳のキム・ハンナさんは「児童活動家」の代表を名乗り発言にしたのだ。懇談会はユーチューブで生中継された。

李在明（イ・ジェミョン）代表は、

「いますぐ至急な、長期的に未来世代に被害を及ぼすことが明らかな核汚染水排出問題に総力団結して対策を講じ阻止する時」と主張した。

処理放水の阻止に必死な共に民主党である。

共に民主党は韓国議会の過半数を超える政党である。韓国民の支持が一番高い政党である。共に民主党によって処理水放水反対が国民に広がっている。しかし、ＩＡＥＡは処理水は安全であることを韓国民に伝え、中国以外の全ての国が処理水放水に賛成であることが報道された。処理水は安全であると思う韓国民も増えたはずである。

8月末に処理水放水が始まると、安全か否かで大きな騒ぎになるかもしれないが、数か月後には安全であることがはっきりする。嘘がばれて、共に民主党の支持率は急減するのは確実である。

マスコミは日米韓3.カ国の首脳会談がこれまで開かれなかった原因は韓国が日本の植民地であったことを上げている。それは違う。植民地だったから韓国と日本が親しくなかったというのは間違っている。植民地が原因であったなら台湾も日本と親しくないことになる。日清戦争に勝った日本は台湾を植民地にした。台湾は韓国よりも長い間植民地であった。もし、植民地が原因なら台湾は日本と親しくない関係であるはずだ。しかし、台湾は日本と親しい関係にある。韓国が日本を嫌うのは植民地だったことが原因ではない。原因は韓国は左翼が強いからである。

福島汚染処理水で、日韓の左翼は処理水とは言わないで汚染水と嘘をついている。汚染水が放水されて海が汚染されるという嘘の理屈をでっち上げて放水に反対している。左翼は嘘の専門集団である。

7月9日

韓国の「原発処理水デマ」は辺野古と同じ　放水すればデマがばれる

東京電力福島第一原発処理水の放出（処理水放出）問題で、韓国の最大野党「共に民主党」は処理水を核廃水」と呼んで、処理水を放出すれば海は核廃水で汚染されると国民に流布し、処理水放出反対運動を展開している。

「共に民主党」の主張が韓国民に浸透している。世論調査では78％の国民は「韓国の海と水産物の汚染を心配している」と答えている。

韓国の東京電力福島第一原発処理水の放出問題は辺野古問題と非常に似ている。沖縄の辺野古問題で県民投票をすると、辺野古移設反対が70％以上であった。大多数の県民が辺野古移設に反対したのである。ただ、反対した原因は左翼のデマを県民が信じたからであった。

辺野古を埋め立てると埋め立て地から赤土などが大浦湾を汚染して、サンゴ、ジュゴンは死に絶え、魚は居なくなるというのが左翼の主張であった。それはデマである。左翼は県民にデマを流布した。左翼のデマを信じた多くの県民が普天間飛行場の辺野古移設に反対したのである。

埋め立てで辺野古の海が汚染されることは絶対にない。左翼のデマを暴いた「捻じ曲げられた辺野古の真実」を2015年に出版した。出版した4年後の2019年に県民投票が実施された。70％以上の県民が辺野古移設に反対した。そして、政府は県民投票が行われた年に名護市辺野古沿岸部で埋め立て工事に着手した。

埋め立て反対運動は盛り上がり、キャンプ・シュワブの国道で国会議員、県知事が参加する県民大会も開催された。

激しい埋め立て反対運動の中で辺野古埋め立ては着実に進んだ。辺野古埋め立てが進むにつれて左翼のデマが暴かれていった。

埋め立てても辺野古の海は全然汚染されなかった。埋めて立ての周囲の海はきれいなままだった。写真を見れば一目瞭然である。左翼のデマが暴かれていくのに従って辺野古移設反対運動は下火になっていった。

韓国では左翼政党「共に民主党」のデマを信じて、78%の国民が韓国の海と水産物の汚染を心配している。デマであることを国民に認めさせるには処理水を放水することである。

福島第1原発の処理水の放射性物質トリチウムの濃度は中国の秦山第3原発に比べて6分の1、陽江原発の5分の1、紅沿河原発の4分の1である。韓国月城原発の3分の1、古里原発の2分の1である。

福島第1原発の処理水は中国、韓国の原発の処理水より濃度は低いのだ。しかし、韓国左翼「共に民主党」は濃度が高いとイメージさせている。左翼のデマを打ち砕くには放水して処理水が安全である事実を韓国民に認知させることだ。辺野古埋め立てで沖縄では実証している。韓国でも確実に実証できる。

福島第1原発の処理水放出によってデマを流布した「共に民主党」の支持率は確実に落ちる。

7月28日

福島処理水危険は「慰安婦は性奴隷」と同じ左翼のでっち上げ

韓国の福島処理水放出反対運動はますます高まっている。

釜山一帯の63の市民団体でつくる「福島核汚染水投棄反対釜山運動本部」は、汚染水の海洋放出に反対する釜山市民11万1678人の署名を集めた。署名を日本の原子力規制委員で届ける。

ソウル近郊の京畿道水原市では水産物販売業者や市民団体、政党など約50の団体による「福島放射性汚染水海洋投棄阻止水原共同行動」が世界文化遺産の水原華城の広場に集まった。汚染水放出反対などのメッセージを書いたプラカードを持ち、汚染水放出により市民が倒れるパフォーマンスを行ったほか、放出反対を叫びながら一帯を行進した。

南西部・全羅南道の漁業者は同道宝城郡内の港に集まり、海上に約200隻の漁船を連ねて抗議行動を行った。汚染水放出を模し、日章旗を掲げた船から120本のドラム缶を海に投げ込んだ後、壬辰倭乱（文禄慶長の役）時の李舜臣（イ・スンシン）将軍率いる朝鮮水軍の陣形にならった韓国漁船がこれらドラム缶を回収し、日本に返すというパフォーマンスをした。集団で日本に来て、国会前で反対運動を次々と展開している。

韓国の福島処理水放出反対運動ですぐに頭に浮かぶのが慰安婦性奴隷運動である。慰安婦は日本軍が朝鮮の少女を性奴隷にしたと日本政府への謝罪を求めた運動である。

福島処理水の濃度は世界の処理より低いことはすでに発表している。

経済産業省によると、中国では秦山第3原発が約143兆ベクレルと福島第1が予定する6・5倍、陽江原発は5倍、紅沿河原発は4倍である。欧米では、数字がさらに跳ね上がる。フランスのラ・アーグ再処理施設は454・5倍。カナダのブルースA、B原発は54倍、英国のヘイシャム2原発は14・7倍とけた違いである。

現実、韓国は福島第一原発より14倍多いトリチウムを放出している。

日本のトリチウム量は海外に比べ少ない

トリチウム水の規制基準（1リットルあたり）

（国など）	（条件・場所など）	（トリチウムの量）
日本	福島第1原発処理水の海洋放出	1500ベクレル
WHO	飲料水	1万ベクレル

トリチウム水の放出の規模（年間）

日本	福島第1原発（処理水の海洋放出）	22兆ベクレル（2023年以降）
韓国	古里原発	91兆ベクレル（19年）
米国	キャラウェイ原発	42兆ベクレル（02年）
中国	泰山第三原発	124兆ベクレル（19年）
英国	ヘイシャムB原発	390兆ベクレル（15年）

（注）経済産業省の資料をもとに作成

韓国の処理水と比較すると月城原発が福島処理水の3・2倍、古里原発が2・2倍に上る。福島処理水のほうが韓国の原発の処理水より濃度は非常に少ない。それなのに福島処理水は危険であると反対運動を展開しているのである。事実とは違うことをでっち上げて日本政府を攻撃するのは「慰安婦は性奴隷」運動と全く同じである。

マスコミは第2.次世界大戦中に日本軍に連れ去られ、性奴隷にされた大勢のいわゆる「慰安婦」のことが、韓国人の間に残る深い傷となって日本を嫌っていると解説するが、慰安婦は性奴隷ではなかった。「慰安婦は性奴隷」は日本の左翼がでっちあげたものであり、それを韓国左翼が偽の慰安婦を集めて宣伝拡大したものだ。

橋下氏が市長をしている時、韓国からやってきた慰安婦と面談する寸前までいった。しかし、面談して対談をすれば慰安婦がにせものであることが明らかになってしまう。にせものであることがばれるのを避けるために面談は中止した。面談中止の記者会見は関西ネットワークがやった。慰安婦は記者の前に現れなかった。記者と質疑応答をすれば彼女たちが慰安婦ではなかったことがばれるからである。

面談中止声明文の書き出しである。

橋下市長。あなたに日本軍慰安婦被害者と会う資格はない。ハルモニの会いたくない、会ってどうなるという言葉を、橋下市長、あなたはどう受け止めているのですか。
今回来日されたキムポクトンハルモニは十四歳で軍服工場で働くと騙され中国広東の慰安所に連れていかれました。
当時十一歳だったキルウォンオクハルモニもハルピンの慰安所に連れていかれました。待っていたのは暴力と性奴隷としての日々でした。幼くして親と引き裂かれ異国の地で体も心も破壊し尽くすほどに凄惨な地獄を味わったハルモニたちにとってその後の人生もまたどれほど過酷なものだったか。

この書き出しでキムポクトンハルモニとキルウォンオクハルモニが慰安婦ではなかったことが慰安婦募集のポスターを見れば分かる。

慰安婦募集のポスターでは17歳以上が条件である。だから17歳未満の二人は慰安婦にはなれなかった。二人は慰安婦ではなく朝鮮性奴隷の妓生だったのだ。マスコミがこのポスターを掲載すれば自称慰安婦たちが慰安婦でなかったことがわかったはずである。

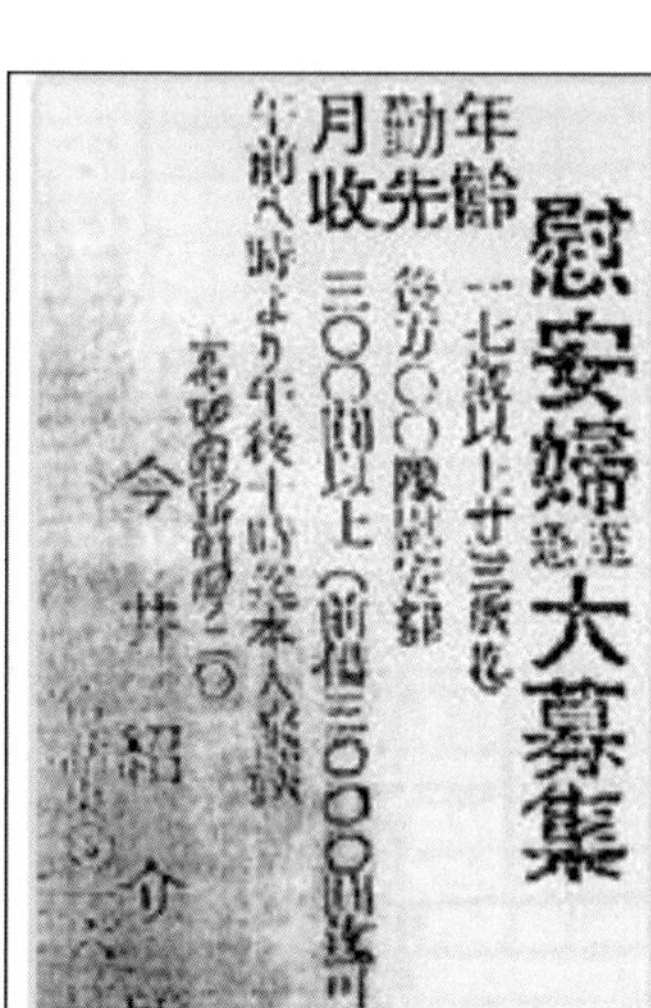

1944년 7월 26일자 『경성일보』
위안부 모집광고

二人が橋下市長と対談をすれば慰安婦でなかったことがばれてしまう。だから、ばれるのを避けるために対談を中止したのである。このニュースを見て、自称慰安婦たちが記者との質疑応答を一度もやっていないことに気が付いた。記者と質疑応答するのは関西ネットワークのような左翼市民団体だったのだ。自称慰安婦たちは暗記した筋書きを話すだけだったのである。

「慰安婦は性奴隷」は日韓の左翼がでっち上げたものである。左翼のでっちあげをマスコミが拡大した。自称慰安婦のハルモニたちは左翼のロボットでしかなかった。

慰安婦は売春婦であるのに性奴隷であると報道して「慰安婦は性奴隷」を流布したのが朝日新聞であった。「慰安婦は性奴隷」は韓国でつくられたと思っていた私は、慰安婦は性奴隷ではなく売春婦である事実をネットで調べてブログに書いていった。調べていると「慰安婦は性奴隷」は韓国ではなく朝日新聞がつくり上げたものであることを知った。驚いた。

1991年に自ら元慰安婦として名乗り出たのが金学順である。金学順の体験を読んで性奴隷であったと話す老婆たちは本当は慰安婦ではなく韓国の妓生であることを知った。

金学順は「生活が苦しくなった母親によって14歳の時に平壌のあるキーセンに40円で売られたと述べている。妓生は売買される性奴隷である。妓生は慰安婦にはなれない。金学順は17歳の時に養父に連れられ平壌から中国へ汽車で行き、慰安所に入ったと述べたが、彼女が入ったのは慰安所ではなく日本兵などを相手にする妓生の売春宿であった。金学順は17歳になったから売春宿に売られたのである。日本が統治する前は朝鮮の妓生は13歳から売春が許可されていたが日本政府が統治すると日本と同じように17歳に引き上げられた。金学順は17歳になったので中国の売春宿に妓生として売られたのである。

金学順を妓生ではなく日本軍の慰安婦として朝日新聞は報道した。彼女だけでなく日本兵を相手にした妓生を慰安婦にでっち上げたのが朝日新聞だった。

元朝日新聞記者の植村隆氏（62）が、慰安婦について書いた記事を「捏造（ねつぞう）記事」とされて名誉を傷つけられたとして、ジャーナリストで国家基本問題研究所櫻井よしこ氏（75）と出版社ワック、新潮社、ダイヤモンド社の3社に対して、謝罪広告の掲載と総額1650万円の損害賠償を求めた訴訟だ。最高裁第2小法廷（菅野博之裁判長）は植村氏の上告を退ける決定をした。

11月18日付で、請求を棄却、1、2審判決、植村氏の完全敗訴が確定したのだ。櫻井氏が、植村氏の記事は、「ねつ造」と書いたのは、「真実相当性」があると最高裁は、判決した。朝日新聞が捏造記事を掲載したことを裁判でも認められたのである。

沖縄では自称慰安婦の話を信じ、慰安婦は性奴隷だったと信じる県民が増加していった。しかし、大阪では橋下市長の慰安婦疑惑発言に左翼団体が押されて増加しなかった。左翼の嘘のでっち上げが橋下市長には通用しなかった。

7月9日

左翼のデマ戦術に負けた沖縄自民
韓国与党「国民の力」は左翼デマに負けない　勝つ

国際原子力機関（ＩＡＥＡ）のラファエル・グロッシ事務局長と訪問先のソウルで韓国最大野党「共に民主党」の国会議員らと会談した。グロッシ氏は会談で東京電力福島第一原子力発電所の「処理水」「国際的な安全基準に合致する」と強調した。ところが「共に民主党」の国会議員はグロッシ氏の説明を無視し、処理水を「核廃棄物」と呼び、計画の危険性を主張した。そして、グロッシ氏に「国際社会とともに代替案を検討することを」要請したのである。権威あるＩＡＥＡの事務局長の説明を無視し、非科学的な主張をごり押しするのが左翼である。

左翼のごり押しに白旗を上げ、辺野古埋め立てに反対したのが沖縄自民党である。日本には公有水面埋立法があり、汚染をしないように埋め立て工事をしなければならない。汚染すれば工事は中止し、罰せられる。だから、汚染はしない。そんなことさえ知らなかったのが沖縄自民党であった。だから、左翼と一緒に辺野古埋め立てに反対をしたのである。県が反対しても止める権利はない。政府は埋め立て工事を進めた。そして、汚染しないことを実証した。

処理水の放水は日本政府がやる。韓国に止める権利はない。野党の「共に民主党」は海洋放出計画を巡っては、汚染水糾弾決議をした。

韓国政府や与党はＩＡＥＡと同様の立場を示

している。放水を容認している。反対しているのは野党の「共に民主党」である。

日本政府が処理水を放水するのは確実である。放水をすれば韓国民は処理水が安全であることを知り、安心するだろう。辺野古埋め立てのように。

7月11日

今日の社民党の姿が明日の韓国「共に民主党」の運命である

韓国議会の過半数を制している「共に民主党」は福島汚染水海洋投機反対で勢いに乗っている。IAEA総合報告書の内容を説明するために訪韓したグロッシ事務局長の説明をはねつけてIAEA報告書は「非科学的」であると非難した。

韓国野党議員で構成された「福島核汚染水海洋投機阻止国会議員団」が日本にやってきて、参議院議員会館前で集会を開き、汚染水の放流をやめるよう主張した。議員は日本語で『フクシマを忘れない』『放射能汚染水を海に捨てるな』と書かれた紙を掲げてアピールした。

「共に民主党」の処理水放出反対の勢いは放水を止めるほどである。

辺野古移設反対運動の初期の頃は実力で埋め立て工事を阻止する勢いがあった。あの頃に似ている。

しかし、埋め立て工事が進むにつれて反対運動は勢いがなくなっていった。埋め立てをすれば辺野古の海は汚染され、サンゴ、ジュゴン、魚が居なくなるという嘘がばれていったからである。

嘘を市民に信じさせて反対運動を盛り上げるのが左翼のやり方である。そして、嘘が判明するにしたがって反対運動は下火になっていく。それが左翼の運動パターンである。辺野古移設反対運動がそうであった。そして、韓国の汚水処理水放出反対運動も同じである。

日本政府に処理水放出を撤回するよう要求し、韓国政府に処理水放出阻止のため国際海洋法裁判所への提訴および暫定措置請求を促す内容などが盛り込まれている「福島汚染水反対決議案」

を一方的に決議した「共に民主党」である。しかし、辺野古では県民投票で反対が７０％以上であったにも関わらず政府は移設工事を進めた。県民投票には法的拘束力がなかったからだ。

「福島汚染水反対決議案」にも共に民主党に処理水放水を止める権限はない。放水の権限は日本政府にあって、韓国にはないからだ。それに韓国政府は放水を認めている。野党である共に民主党には韓国内でさえ止める権限はない。

共に民主党の処理水放出阻止運動は辺野古移設反対運動とそっくりである。そっくりであるのには理由がある。共に民主党のイデオロギーは日本左翼のイデオロギーと同じであるからだ。韓国の左翼イデオロギーは日本でつくり上げたイデオロギーをそのまま受け継いだものなのだ。

左翼政党の正義党に招待されたのは社民党であった。社民党のイデオロギーは社会党の時に韓国に受け入れられ、韓国に深く浸透した。正義党、「共に民主党」にとって社民党は日本の有力政党であり、尊敬する政党である。社民党議員を韓国に招待したのは日本の国会議員も汚染水放流に反対している」と主張し、韓日間の国際的な連帯を示したかったからである。社民党は仲間である韓国左翼の提案に乗ったのである。

福島汚染水反対運動が辺野古移設反対運動と同じなのは偶然ではない。日本の左翼イデオロギーが韓国の左翼政党のイデオロギーと同じだからである。放水反対運動が盛り上がったのは辺野古移設反対運動と同じである。そして、敗北するのも同じ運命である。

日本政府が処理水を放出することによって海が汚染されないことが実証される。

放水した時に反対運動は最大に盛り上がるだろう。しかし、時が経つにつれて下火になっていく。数カ月たてば放水が安全であるという認識が韓国民に広がる。安全であるということが韓国民に広がれば広がるほどに「共に民主党」の支持率は下がっていく。今の社民党のように議席が激減することはないと思うが、与党に返り咲くのは不可能になるくらいに支持率は下がるだろう。それが日韓の左翼の運命である。

8月20日

日米韓首脳会談に韓国の共に民主と日本の共産党が反対　左翼だから

ホワイトハウス近郊の大統領別荘キャンプ・デイヴィッドで会談した。日米韓の3.カ国の首脳会談を単独開催するのは歴史上ではじめてのことである。画期的な階段であるのだ。

「団結すれば、私たちの国々は今までより強くなり、世界はより安全になる。それは、ここにいる私たち3人全員が共有している信念だ」と、バイデン大統領は述べた。

3.カ国は共同声明で、東シナ海と南シナ海での海洋紛争における中国の「危険かつ攻撃的な行動」に反対するとした。

また、定期的な合同演習を実施するほか、危機の際には互いに協議すること、北朝鮮に関するリアルタイムのデータを共有すること、日米韓首脳会談を毎年開催することでも合意した。

日米韓首脳会談が実現したのは韓国政府が左翼のから保守に代わったからである。前大統領の文在寅氏は左翼だった。国民は2022年の大統領選挙は保守の尹錫悦氏を選出した。保守の尹大統領は恩地捕手の岸田政権と親しくなっていった。尹政権は福島汚染処理水の放出にも理解を示している。伊政権が保守であるから日米韓三か国首脳会議が実現したのである。韓国または日本が左翼政権だったら実現しなかった。

日米韓首脳が会談し共同声明にも日韓左翼の共に民主党と共産党は反対している。しかし、立憲民主の泉健太代表は共同声明に賛成している。これで立憲民主と共産党の選挙共闘はますます遠のいた。

福島原発処理水放出は始まった　日韓左翼は支持を失う　当然だ

福島原発処理水放出と日米韓首脳会談に反対しているのが日本の共産党、社民党であり、韓国の共に民主党である。処理水放出＋日米韓首脳会談が日韓左翼を弱体化していくことは確実である。

福島原発処理水放出は始まった。さじは投げられた。放出への賛成反対の対立は終わった。処理水放出の現実問題へとなった。

世界の原子力施設の年間トリチウムの排出量を比べたら、福島第一原発の処理水はトリチウムの排出量が少ないことがはっきりしている。共に民主党が放出に反対している韓国の3.分の1であるし、中国の6分の1である。

科学的には福島原発処理水放出が問題ないのははっきりしている。だから、日本政府は放出に踏み切ったのだ。

左翼は海がトリチウムに汚染されているという嘘を日本、韓国の国民に広めるだろう。日本政府の科学と左翼の風評の闘いが始まった。

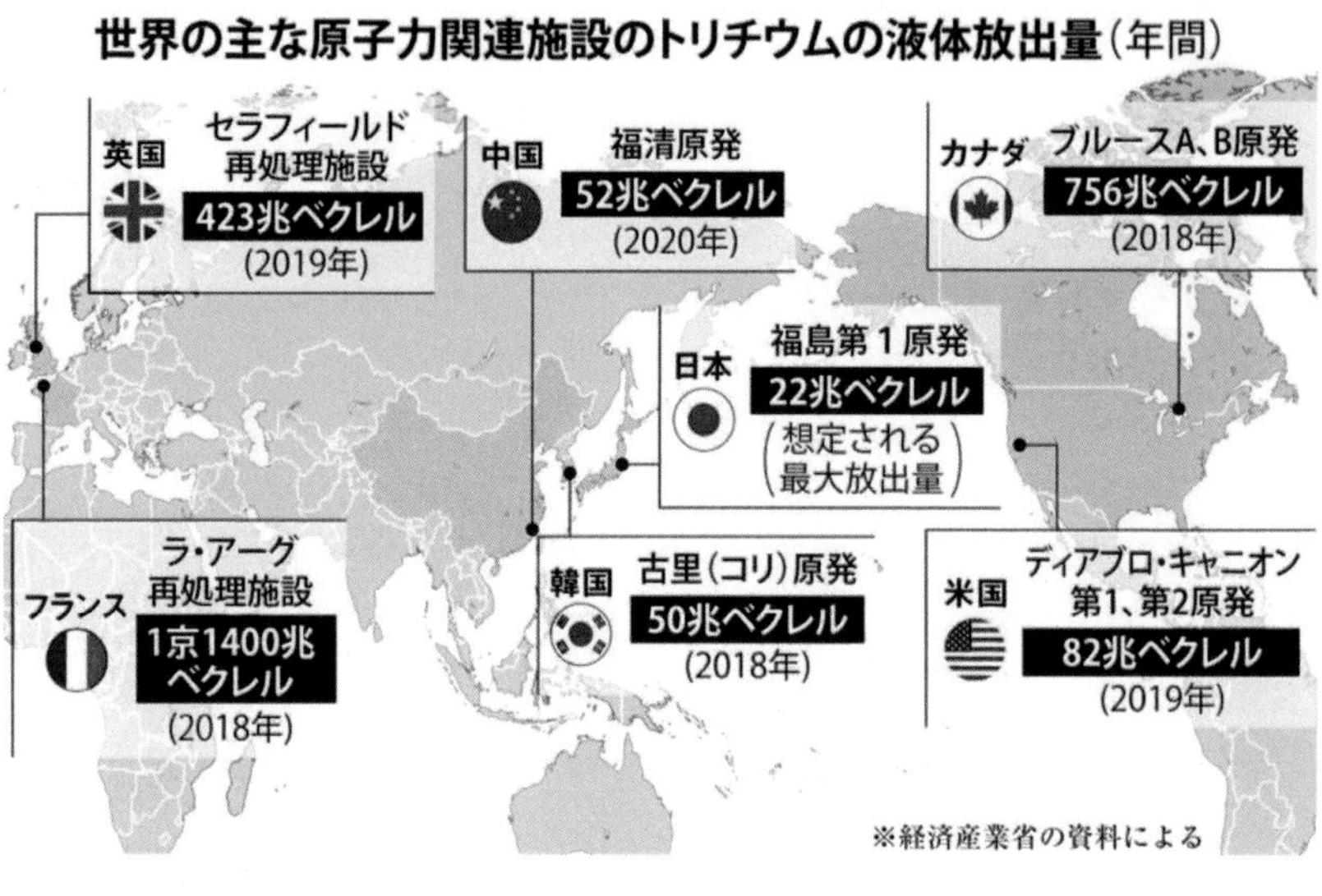

政府と東京電力は毎日海水を調査し発表するという。それに漁獲した魚のカドミウム汚染度を一時間以内に調査し、市場のセリに出す前に発表するシステムも完成した。政府は海水が汚染されないことを毎日発表し、左翼が広めた風評被害を押さえていくだろう。

立憲民主党の安住淳国対委員長は「岸田文雄首相が科学的根拠に基づいて、安全だと証明することが解決の一歩につながる」と述べた。立憲は風評より科学を優先する。最近の立憲は保守が主導権を握っている。処理水放出に反対しているのは共産党と社民党の少数政党だけである。

福島テレビの番組公式X（旧ツイッター）で「放出開始後、福島の魚を買うことに関してどう考えるか？」というアンケートを行った。２０２３年3.月実施アンケートは９５１人に回答を頂いた。

◆「安全だと思うし買う」　３７．６％。
◆「安全なことがしっかり理解できたら買う」　３５．９％。
◆「安全かどうか不安で買うか悩む」　１５．５％
◆「安全だと思わないので買わない」　１１％

放水した直後は風評被害を避けられないが、政府が科学データで汚染されていないことを毎日発表していけば、風評被害は短期間でなくなるはずである。

韓国左翼の風評はひどい。共に民主党のイ・ジェミョン代表は「核汚染水の海洋放出は第2.の太平洋戦争」と発言している。

「共に民主党」は国会でろうそく集会を行い、今後街頭デモと総決起集会を予告するなど、総力対応に乗り出した。

イ代表は国会で開かれた最高委員会議で「過去の帝国主義侵略戦争で周辺国の生存権を脅かした日本が、核汚染水の海洋放出で大韓民国と太平洋沿岸国に再び取り返しのつかない災いをもたらそうとしている」と述べ、「核汚染水の放出は第2.の太平洋戦争として記録されるだろう」と非難した。

共に民主党は放出反対を促す「１００時間緊急行動」を行い、２３日午後には、現役議員らと補佐陣、党役員、首都圏の市区議員、権利党員など約1000人が国会本庁前の階段に集まり、「汚染水海洋投棄阻止ろうそく集会」を開いた。24日にはソウル龍山（ヨンサン）大統領室前で、「日本の汚染水放出はロンドン条約（廃棄物その他の物の投棄による海洋汚染の防止に関する条約）違反」であることを訴える記者会見を開き、25日には尹錫悦政権の汚染水放出への対応を糾弾し、ソウル光化門（クァンファムン）から龍山の大統領室まで街頭行進する。26日には光化門一帯で市民団体などと連帯して汚染水放出反対総決起大会を開く。野党「正義党」も、ソウル鍾路区（チョンノグ）の駐韓日本大使館前で汚染水放出糾弾記者会見を行い、リレー1人デモを行った。

福島原発処理水放出は始まった。国民の関心は処理水によって海水が汚染されているか否かだ。すぐに日本政府は汚染されていないことを発表する。しかし、韓国の左翼政党は日本政府のでっち上げであると日本政府を非難するだろう。韓国の国民は左翼政党のデマを信じるかもしれない。韓国の左翼政党のデマより日本政府の発表を信じるのが韓国の漁民であるだろう。汚染されていれば韓国の魚も売れない。漁民としては汚染されていないことを望む。日本政府が汚染されていないと発表すれば韓国の漁民は日本政府の発表を信じたいだろう。海産物の捕獲者と販売する者は汚染されていないとする日本政府の発表に賛同する。

ＩＡＥＡの科学的根拠による発表を信頼している韓国政府は処理水放出する前から汚染されないことを確信している。日本政府と韓国政府が汚染していないことを確信しているのだから海産物に関係する者たちも汚染されていないことを確信し、国民に海産物を提供するだろう。

核汚染水の放出で海産物が汚染されていると大々的に宣伝している共に民主党は海産物関係者に嫌われるだろう。汚染されていないことが理解されるようになれば共に民主党は国民の信頼を失う。

今選挙をすれば共に民主党が圧勝するだろう。しかし、選挙は8カ月後の来年4月である。その時には汚染されないことがはっきりしている。「共に民主党は嘘つきだ」が定着しているだろう。議席が減るのは確実である。

7月17日

保守・左翼混合の野党五党大同団結はすでに破綻した　保守維新の会は飛躍

２０１９年６月に出版した「内なる民主主義２０」に「野党五党の政策連合オールジャパンと共生は破綻する」を掲載した。

野党は大同団結をした。総決起集会に参加した政党は、立憲民主党、国民民主党、共産党、社民党、自由党とほとんどの野党が参加した。総決起集会の登壇者は、

開会挨拶　原中勝征（前日本医師会会長）
基調講演　鳩山友紀夫（元内閣総理大臣）
特別ゲスト　玉城デニー（沖縄県知事）
立憲民主党　川内博史衆議院議員
日本共産党　宮本徹衆議院議員
自由党　山本太郎参議院議員
国民民主党　原口一博衆議院議員
社会民主党吉田忠智元参議院議員
藤田幸久参議院議員
山田正彦元農林水産大臣（顧問、運営委員）
多々良哲「みんなで決める会」代表
田中重仁「市民が野党をつなぐ埼玉の会」共同代表
ソーヤー海 Tokyo Urban Permaculture 主宰者（共生革命家）

「内なる民主主義２０」で野党の大同団結は崩壊することを指摘した。指摘した通りに破綻した。

本当の問題は立憲民主、国民民主、共産党、自由党、社民党の野党五党が共闘できるか否かではない。共闘したとして政権与党になれる議席を得るほどに国民の支持を得ることができるかどうかである。国民の支持を得ることができなければ共闘する価値がない。

もっと重要な問題がある。野党５党で政権を取ったとして、政権を維持できるか否かである。政権を維持できなければ共闘する価値がない。

２００９年に民主党が総議席の３分の２に迫

る３０８議席を獲得して圧勝した。しかし。民主党政権は２年も持たずに崩壊した。野党５党の共闘が民主党と似ていれば、例え与党になれたとしても崩壊してしまう。民主党崩壊の原因を克服した野党連合でない限り連合をつくる価値はない。

「内なる民主主義２０」で野党の大同団結の崩壊を予言する一方、維新の会の躍進を予言した。「二大政党は野党五党共闘からではなく大阪維新の会から」である。

沖縄に内なる民主主義はあるか　１５００円(税抜)

捻じ曲げられた辺野古の真実　１５３０円(税抜き)

少女慰安婦像は韓国の恥である　１３００円(税抜)

マリーの館　１３８０円(税抜き)

（

大阪で見えた二大政党の可能性　維新の会の政治を見よ

○公立高校無償化」に加え、「私立高校の無償化」（府内全域）
○中学塾代助成制度。
○段階的幼児教育無償化。
○中学3年までの医療費無料化。
○授業用タブレット端末導入と教室のクーラー設置。
○教員の初任給大幅引き上げ。
○日本初の市立中高一貫校開設。
※「思想や良心の自由を」根拠にして卒業式や入学式などで日教組の教員が起立しないのに対して維新の会は「教員は公務員であり、起立国歌斉唱は公務である」と国旗国歌条例を公布した。府教委は国歌斉唱時に起立しなかった教員を国旗国歌条例を理由に戒告の懲戒処分にした。

大阪府立の高校、支援学校の教諭と元教諭計7人が府に処分取り消しと慰謝料を求めた訴訟の判決では処分を適法と判断して請求を棄却した。維新の会が日教組に法廷闘争で勝利したのである。

※校内人事の決定を教員の多数決で決めていたのを府教委は「校長の権限を制限してはならない」と教員による校内人事選挙禁止を通知して、人事権を教員から校長に移し。校長の指揮・監督権を強化した。

○異次元の保育所整備で、待機児童数を過去最低の37人にした。
○認可保育所の大幅増設による保育所入所枠9000人増。
※維新の会は待機児童問題解決より「幼児教育無償化」を優先させている安倍政権よりも、より大胆な政策を打ち出し、実行している。

○日本初の公営地下鉄を民営化。
○水道料金値下げ。
○特別養護老人ホームに入居できない待機高齢者ゼロにした。
○独り暮らしや寝たきりの高齢者見守り事業。

※維新の会は住民の生活や高齢化社会に対応する政策も実行した。

○府・市の枠を取り払った大阪観光局が推進する観光政策による、観光業の急拡大。
○医薬品産業を大阪のメイン産業の1つと位置付けた成長戦略。
○統合リゾート（ＩＲ）の誘致。
○２０２５年の大阪万博の開催決定。

※維新の会は国ではなかなか進まない成長戦略にも積極的である。

自民党を超えた大阪改革によって保守政党である維新の会は選挙で大勝した。大阪維新の大勝こそが二　大政党は保守の政党によって実現することを示したものである。北海道知事選では自民党ＶＳ立憲民主、国民民主、共産、自由、社民であったが、自民党の立候補が当選した。左翼が強い北海道であるが保守自民党に陥落したのである。ところが大阪では自民党、野党五党連合が維新の会に敗北した。このことは新しい革新的な保守を大阪の市民が求めていることを示したのである。

２００９年に、民主党が衆院選で３００議席を超えて自民党に圧勝して政権を握った時に、日本も待ちに待った二大政党時代に突入すると期待した。民主党の政策を支持していたわけではなかったが、民主党には自民党と政権を争う政党になってほしかった。しかし、期待は裏切られた。民主党政権は二年しか持たず、再び自民党政権になった。民主党の下野はとても残念だった。それでも政党の体制を立て直し、再び政権の座につくことを期待したがそうではなかった。民主党は分裂して弱体化していった。３００議席も獲得した民主党がなぜ二年しか持たなかったのかを調べていくと原因がわかった。

原因は民主党の議員は旧社会党の左翼議員と保守議員の混合であった。民主党から分裂した立憲民主党は旧社会党の議員が主流である、民主党時代の旧社会党の左派議員の存在が民主党を政権の座から崩れ落とした原因であった。旧社会党、共産党の議員が居れば政権を握っても民主党のように崩壊する運命にある。もし、共産党を加えた五野党の連合が再び政権を握ったとしても民主党のようになるだけなのだ。政権党になれるのは左翼政党を排除した保守の政党でなければならない。そのことを明らかにしたのが民主党の崩壊であったのだ。

維新の会は10年間も大阪府、大阪市で政権を握り続け大阪府民の支持はますます高まっている。維新の会のような革新的な保守が政権を取れば民主党のように崩壊することはない。

保守は時代の流れを進んでいる。しかし、左翼は時代の流れに取り残されている。国民は民主党の崩壊で保守と左翼の連合を信じなくなった。保守と左翼の連合が勝利するのは民主党で終わったのだ。

大阪の維新の会の大勝は二大政党は革新的な保守と自民党によって成り立つことを確信させるものである。

共産党、旧社会党左翼への支持は衰退し続けていることを保守系の野党政治家は早く気付くべきだ、左翼と決別して維新の会のような革新的な保守政党をつくることが政権党になれる道である。

「内なる民主主義20」

野党五党大同団結の破綻の最大原因は左翼と保守が混合したことと、左翼への国民の支持が下がっていったことである。

保守の維新の会の支持率は上がった。

保守の維新の会の支持率アップと左翼の支持率ダウンの原因を検討するべきである。

5月10日

維新の会は市民の望む政治改革をやる　だから支持が増える　そこに注目するべき

マスコミは維新の会は大阪の地方政党と見ていた。維新の会が大阪以外に拡大していくことを予想していなかった。ところが、衆議院選挙、参議院選挙そして全国地方選挙で維新の会は議員を増やしていった。全国世論調査では支持率が立憲民主よりも高くなった。マスコミは支持率が上がった事実を報道するだけで、なぜ、維新の会の支持率が上がったのか。上がった原因を説明しない。いや、できない。

○地域政党「大阪維新の会」の大阪市議団は9日、市議会の議員定数を現在の81から10前後削減するため、18日開会の定例市議会に条例改正案を提出する方針を明らかにした。維新は過半数の議席を有しており、可決される見通し。

○5月9日、大阪府は高校の授業料無償化についての案を示した。案の提示を受けて、吉村知事は「家庭状況に関係なく行きたい学校に行かせることは、社会にとって重要」などと話した。

○高校の授業料について大阪府が5月9日に示した案では、来年度の高校3年生から所得制限を段階的に撤廃し、2026年度には全学年を対象として公立・私立ともに無償化するという。

高校の授業料をめぐっては現在、年収910万円未満の世帯を対象に国や府の補助があり、私立高校が無償となるのは年収590万円未満の世帯と年収590万円~800万円で3.人以上子どもがいる家庭のみが対象になっている。

吉村知事はこうした所得制限の撤廃を公約に掲げている。

○自民党の高木毅、日本維新の会の遠藤敬両国対委員長は15日、国会内で会談し、衆院の常任・特別委員会の委員長に開会中、1日6000円が支給されている手当について、廃止する方向で合意した。今後、衆院議院運営委員会で他党も交えて議論し、正式な合意を目指す。

両氏は、国会議員に月額100万円が支給される調査研究広報滞在費（旧文書通信交通滞在費）に関しても、使途公開などの議論を早期に再スタートさせる方針で一致した。

委員長手当の廃止や旧文通費の使途公開は国会改革の一環として維新が強く主張してきた。会談後、遠藤氏は記者団に「物価高、エネルギー高で、国会だけは現状のままかという声は大きい。国民に負担ばかり強いることはあってはならない」と強調した。


維新の会は市民生活がよくなるための政治改革をやり続けている。だから維新の会は支持率が高くなっているのである。市民、国民が望む政治を維新の会は追及し続けている。

維新の会の政策は大阪だけに通用するものではない。全国に通用する。全国の市民が維新の会の政治姿勢を知れば支持するようになる。維新の会は確実に全国区政党になる。

維新の会によって自民党対左翼の構図を変える時代がやってきた

日本の政治は自民党と旧社会党、共産党の対立が基本であった。立憲民主党は自民党を離党した政治家と旧社会党の政治家の混合政党である。自民党、旧社会党、共産党の体制は同じである。三党と性質が違うのが維新の会である。

自民党は戦後の議会制民主主義制度で、とにもかくにも与党になり政権を握るのを目的にしてきた政党である。自民党単独で与党になれない時は左翼の社会党と組むこともあった。現在は宗教政党の公明党と組んでいる。とにもかくにも与党になることが自民党の目的である。自民党の政権が続いたのは国民の支持率が低い左翼政党対自民党の構図だったからである。この構図が続く限り自民党政権は安泰である。

自民党を脅かす政党が登場した。維新の会である。維新の会は既成政党とは違う新しいタイプの政党である。他の政党は最初から全国的である。しかし、維新の会は大阪だけであった。もっと詳しくいうと、維新の会という政党も最初はなかった。橋下徹氏が一人で始めた政治改革が維新の会の始まりであった。橋下氏は政治家ではなかった。弁護士であり、行列のできる法律相談所というテレビ番組に出演しているタレント弁護士だった。彼の人気に注目した大阪自民党が橋下氏を大阪府知事選に担ぎ出した。

橋下氏の前の太田房江知事は自民党・民主党・公明党など5党の推薦を受けた保守と左翼の相乗りであった。だから、5党が反対しない政治を行った。ところが橋下氏は違った。自民党だったらやらない政治をやった。それが教育改革である。

橋下知事は大坂の学力が全国で二番目に低いことを問題にした。非公開であった全国学力テストの成績を公開した。そして、学力アップを目指した教育改革を始めたのである。橋下知事の教育改革に真っ向から反対したのが大阪の教職団体であり、共産党、民主党であった。

大阪の学力が低いことを知った時、大阪の教職員の政治力が強いと私は予想した。学力の低い理由を知っていたからだ。沖縄は学力テストが全国で最下位である。それは復帰前からである。沖縄の学力が低いのはウチナーロを使っているからだろうと思っていた。私たちは家でウチナーグチしか使っていなかったし、小学校で共通語を習った。中学を卒業するまで共通語を話せない者もいた。沖縄の学力が低いのはウチナーグチのせいだと思っていた。その考えが間違っていることを学習塾をすることによって知った。沖縄の学力が低いのは教職員の政治力が強く、政治活動を優先しているのが原因であることを知ったのだ。沖縄は教師たちによる学力向上の研究を全然していないことを学習塾をやりながら知った。若い教育熱心な教員が落ちこぼれ生徒を教えるために居残りをさせると他の教師から居残り生徒を優遇している、教育差別だとクレームがついた。居残り授業をさせなかったのだ。もし、居残り授業が効果を上げ、そのことが父母の噂になり、居残り授業しなければならなくなる雰囲気になることを嫌った教員がクレームをし、居残り授業を阻止したのである。教育熱心な教員が阻害されていたのが沖縄である。先輩が若い教員を指導するシステムもなかった。素人の教員が授業をしているようなものであった。

算数の落ちこぼれの原因は一度教えたことは100％マスターしているとの前提で次に進むからだ。掛け算九九は小学2年生に習う。しかし、生徒には成長に差があるし、学習する能力にも差がある。掛け算九九を完全には覚えきれていない生徒も居る。ところが3年生になると掛け算九九は完全にマスターしているという前提で二桁の掛け算や割り算を教える。掛け算九九がちゃんとできない生徒は間違いが多くなる。掛け算割り算が下手な原因は掛け算九九を完全にこなせているかどうかにある。そのことに注意して算数を教えるのが重要である。しかし、沖縄の教員はしない。15年間学習塾をやったが、痛切に感じたのは沖縄の教員の無責任さだった。

大阪の学力が全国で二番目に低いことを知った時、大阪の教職員の政治力が強いことを予想した。予想通りであった。

2000年　産経新聞朝刊「校長権限はく奪ステージに上げぬ卒業式」

大阪府豊中市の多くの市立学校には、「常識はずれ」（元校長）の慣習が数年前まであった。

卒・入学式や各学期の始・終業式には、午前中で勤務を終え、午後からは“自宅研修”という名目で教員が学校を離れる。“自宅研修”という制度はなく、研修にも本来は校長の承認が必要だが、その手続きもとられない。通常の勤務日でも“自宅研修”というだけで早帰りが許されていた時代もあった。

残業があれば“回復措置”として後日、早帰りを要求する。回復措置が公式に認められているのは、修学旅行や体育祭などの学校行事が休日にあったときなどに限られているが、無断“自宅研修”とあわせて、まかり通ってきた。

豊中市教職員組合（豊中教組）による激しい主任制反対闘争の影響で、それぞれの学校現場から校長権限がはく奪されていったことが、大きな要因だという。ある元校長は「中間管理職ともいえる主任制は、職場に差別と分断を持ち込むというのが組合の主張。『民主的な学校運営』を実現するとして、学校構造の単層化を目指した組合の力に抗しきれず、校長の力がなくなっていった」と話す。

「学校構造の単層化」とは、校長ら管理職も教員も子供たちも「平等」という論理だ。

今年三月。全四十一小学校のうち十四校、十八中学校のうち十一校で、ステージを使わず、管理職、教員、児童・生徒、保護者ら参加者全員がフロアに並んで式次第を進める「対面式」とも「フロア形式」とも呼ばれる形の卒業式が行われた。

「フロア形式は『子供が主役（主人公）』という名目のもとで行われているが、その陰に、校長権限を認めず、校長を『ステージに上げたくない』『高いところに立たせたくない』という組合員らの主張がある。卒業式では国旗・国歌だけでなく、こうした実施形式をめぐっても校内で議論される」と、ある教員。

「卒業証書授与式」という名称をめぐっても、『目上の者』（校長）が『下の者』（子供たち）に与えているという意味だ」として、「授与」という言葉の削除を要求する教員らもいる。

また、昨年度は四小学校、中学校は全十八校の通知表に校長印欄がなかった（本年度は小学校二校）が、これも「校長の印鑑は不要」という教員らの主張によるという。

産経新聞

校長の権限を奪う思想は社会主義思想があるからだ。いわゆる校長は支配者であり、労働者の教員、子供たちの権利を奪う存在であるから校長に支配されないために教員が校長の権力を奪う。それが社会主義でいう労働者の生産手段の自己管理になるのだ。それが共産党の目指す社会主義社会である。大阪教職員は教育の場で社会主義革命を目指したのである。教職員の社会主義革命は生徒の学力を全国最低2位にしたのである。全国最低1位の沖縄は大阪以上に教職員の政治権力が強かった。

橋下知事の時も教職員の政治力は非常に強かった。教職員は橋下知事の教育改革に真っ向から反対した。討論集会では素人の知事が教育に口出しするな、教育は専門家の教職員に任せろと橋下知事を攻撃した。橋下知事は教職員の攻撃にひるまず学力向上計画を進めていった。大阪市教育委員会は、教育正常化のために教員に奪われていた校長の権限を取り戻していった。

橋下知事は勉強時間を増やすために夏休みを

短縮した。暑い夏に勉強するには教室を涼しくする必要があるといって全教室にクーラー設置を計画した。

教育改革をどんどん推進していく橋下知事に教職員、共産党、民主党だけでなくマスコミも圧力をかけた。

『週刊朝日』（２０１２年１０月２６日号）で「ハシシタ　奴の本性」（佐野眞一＋本誌取材班＝今西憲之、村岡正浩）の記事で、橋下氏が部落出身であることを書いた。記事の内容は明確に部落差別であった。「橋下」は本当は「ハシシタ」と読むと指摘し、橋下知事を部落出身であると侮蔑するものであった。

橋下知事の政治改革に同調したのが自民党員の政調会長であった松井一郎氏である。橋下氏が知事になっときにはすでに暫定予算が組まれていた。しかし、橋下知事はそれを止めて橋下知事独自の新予算を出した。橋下知事ならガタガタだった大阪の財政を本気で立て直せるんじゃないかと感じた松井一郎氏は自民党を離党して橋下知事と維新の会を結成した。

橋下氏一人で始めた政治改革に松井氏たち自民党の一部が賛同して結成したのが維新の会である。政治にド素人のタレント弁護士が府知事になり、一人で政治改革を始めた。そして、彼に賛同した保守政治家と一緒に政治団体を結成した。過去に維新の会のような政党は一つもない。

大阪教職員、共産党、民主党が築き上げた教育界の牙城を維新の会は教育改革政策で崩壊させた。自民党にそんなことはできない。維新の会は自民党ができないことをやったのである。

共産党が維新の会を自民党以上の右翼であると批判するのは大阪で維新の会に共産党系の教職員の牙城が崩されたからである。

大阪地方選で共産党は、すべての議席を失うのではというほどの危機に陥った。懸命に闘ったが大阪府議会は１議席、大阪市議会は２議席となり、ともに選挙前から議席を半減させた。共産党にとって維新の会は自民党以上に強敵である。

学術会議の主張にかなり妥協した政府案だったが、学術会議は「会員人事への介入で独立性が損なわれる」と徹底抗戦した。結果、岸田首相は改正案の今国会への提出を見送った。学術会議には政府から10億円の予算が出る。予算が出るということは学術会議が政府の公的機関ということだ。公的機関には自由はない。それなのに岸田首相は独立を主張する学術会議の圧力に屈して国会への提出を見送ったのである。木原誠二官房副長官は「なかなか（学術会議の）理解が得られないので、今回は取り下げる」と言った。岸田首相は学術会議と裏交渉をして学術会議と妥協点を見つけるつもりである。政治交渉を優先させるのが自民党である。維新の会は違う。法治主義を優先させる。

遠藤敬国対委員長は「取り下げは極めて残念。税金を投じている公的な機関である以上、見直しをすべきだ」と語った。維新の会は学術会議が公的機関であることを重視し、学術会議の主張する独立性を容認しない。そういう毅然とした姿勢が自民党にはない維新の会の特徴である。

馬場氏の第二自民党宣言は画期的
左翼との完全なる決別宣言

維新の会の馬場代表は23日のネット番組で、自民と維新の関係について「第1自民党と第2自民党でいい」と発言した。維新を第2自民党でいいと発言したのである。第2ということは第1の下に存在するというイメージがある。多くの人が維新は自民党の下にあると思ってしまうだろう。第2自民党と絶対に言うべきではないし、馬場代表が発言するとは全然予想していなかった。しかし、馬場代表は第2自民党と発言したのである。発言した目的は維新の会は保守政党であると主張したかったからである。第2自民党と発言したことには反対であるが保守政党であると断言したことには賛成である。もっと別の言い方があったのではないかと思う。別の言い方で言ってほしかった。

馬場代表の第2自民党発言は維新の会が保守政党であることを宣言したということである、保守政党宣言したことは大歓迎である。

私がずっと主張してきたのが2.大政党である。2.大政党になるには旧社会党系と共産党の左翼が消えることである。左翼は日本の政治を担う能力がない。過去に旧社会党系が政権を握ったことがあったがすべてずっこけた。民主党政権の時に左翼が日本の政治をこなすことができないことがはっきりした。日本の政治を担うことができるのは保守政党である。国民もそのことを知っている。だから、自民党政権が続いているのだ。国民は左翼政党を与党にすることは二度とない。

馬場代表の第2.自民党宣言は左翼との決別宣言である。

第2.自民党宣言をした馬場代表は、「第1、第2.自民党が改革合戦でどんどん改革をやって、国家国民のためになることを競い合う。それが政治をよくすることにつながる」と主張した。そして、「立憲がいらっしゃっても日本はなんにもよくならない」と立憲には日本の政治を担う能力がないことを指摘した。そして、共産党については「世の中にあり得ない空想の世界を作って、真剣にまじめに考えている人たち」であり「日本からなくなったらいい政党」と言った。共産党は日本に必要のない政党であると断言したのである。これほどの痛烈な共産党批判は過去になかった。共産党を完全否定したのは馬場代表が初めてである。

維新の会を第2自民党と最初に言ったのは共産党である。馬場代表は共産党の決めつけを逆手にとって反撃したのである。共産党が主張した第2自民党を受け入れることによって強烈な反撃をしたのである。

馬場代表が「第1自民党と第2.自民党が改革を競い合うべき」と発言したことに、ＳＮＳでは批判の声が殺到したという。

・維新のこと、党首が自ら「第2.自民党」って呼んじゃうんだ…。

・自民党は二つもいらん。不要だ。二大政党制をめざすなら自民党に対抗するのが自民党ではない政党でなくてはいかんだろう。維新に存在意義なし。
・自民党が2.つでは二大政党制は成立しない。二大政党制も理解できず、自ら第2自民党を名乗る維新。
・さっさと「自民党馬場派」なり「自民党2.軍」と改称するがいい。自民は最低の選択肢で維新は最悪の選択肢だ。
・憲法改悪、大政翼賛まっしぐらな未来しか見えない。

ＳＮＳを見れば馬場代表が第2自民党と発言したことで維新の会が自民党の子分のような存在に見られて、維新の会の支持率が下がるとしか思われない。しかし、選挙をするのは国民である。ＳＮＳではない。国民はどのように判断するのか。

衆議院選挙と地方選挙では立憲と共産党は敗北し、維新の会が飛躍した。

馬場代表の発言に国民が賛同したなら維新の会が飛躍して立憲と共産の議席は大きく減る。そして、左翼は消滅の危機に陥る。

日本の議会制民主主義体制で左翼が消滅するのは歴史的必然である。

社会主義はソ連が崩壊したように崩壊するのが必然である。それがこれから日本で実証されていく。

7月27日

馬場代表の二大政党宣言　国民は支持する

馬場代表は内外情勢調査会の会合で自民党・維新の二大政党宣言をした。そして、自民と維新の違いも説明した。

馬場代表は自民を「現状を維持する保守政党」、維新を「改革をする保守政党」として自民と維新の違いを述べた。

自民党の岸田政権は「防衛費（増額）であれば増税、子どもに対する投資には社会保険料増額を政策にしようとしていると批判した馬場代表は、

「今すべきは『異次元の少子化対策』ではなく『異次元の歳出削減』であると、維新の会の「身を切る改革」の重要性を主張した。

馬場代表は維新の「身を切る改革」は自民とは決定的に違う政策であると強調し、自民と維新の政策の違いを明確にした。

政策で自民党と競い、国民の支持を得る。これが馬場代表の主張である。立憲民主、共産党にはない維新の会の政治である。

立憲と共産は自民の政策に反対し、首相や大臣のスキャンダルを取り上げて、国会を政策審議の場ではなくスキャンダル追及の場にしてきた。立民、共産のスキャンダル追及に国民は「ノー」の判定を下した。

前回の衆議院選挙で、森友・加計・桜を見る会などの追及で“大活躍”してきた野党議員たちの多くが落選した。辻元清美・前議員（落選、比例復活ならず）、黒岩宇洋・前議員（落選、比例復活ならず）、川内博史・前議員（落選、比例復活ならず）、今井雅人・前議員（落選、比例復活ならず）たちである。彼らは、テレビ中継入りの予算委員会など、注目度の高い花形の質疑でたびたび起用される、いわば野党のエース格だった。しかし、国民は彼らをヒーローに仕立て上げた。マスコミは「ノー」の判決を下したのである。

「スキャンダル追及型」の議員たちと対照的に、スキャンダルには目もくれず、政策論争で政府に挑む「政策論争型」の議員たちがいた。前原誠司氏、岡田克也氏、玉木雄一郎氏らである。彼らは票数を大きく伸ばした。

国民は国会審議で日本のプラスになるための政策を競う審議をすることを要求している。スキャンダル追及は望んでいない。

馬場代表の二大政党宣言を国民は支持するだろう。マスコミは馬場代表が野党の第一政党を立民と争っているように報道している。それは根本的に違う。馬場代表は二大政党を目指している。だから、立民と第一野党の座を競うのではなく、二大政党に邪魔な立民を潰すことを目指している。

立民と共産は日本に必要のない政党だと厳しく突き放すことは自民党にはできない。自民党は与党になることが自己目的である。与党になるために左翼の社会党と共闘したこともある。与党を維持するために自民党は公明党と２０年も共闘し続けている。だから、自民党は立民や共産党に維新のように厳しく対立することはしない。

維新の会は戦後初めて登場する政策に徹した保守政党である。

馬場代表の正し過ぎる指摘「(共産党は)日本からなくなったらいい政党」

維新の会の馬場代表は「共産党は日本からなくなったらいい政党である」と発言した。理由は「世の中にあり得ない空想の世界を作って、真剣にまじめに考えている人たち」と言った。共産党は現実を直視しないで現実とはかけ離れた空想の世界を作って、空想の中の矛盾を真剣にまじめに考えている政党であると断じたのである。その通りである。共産党は日本社会の問題を解決しようと結成した政党ではない。ロシア革命に刺激を受けて、日本でもロシア革命のような社会主義革命を起こそうと結成した政党である。いわゆるロシアの社会主義革命に憧れて結成したのが共産党なのだ。ロシアから学ぼうと多くの共産党員がロシアに行った。そして、日本をロシアのような国にする運動をした。しかし、国の共産党への弾圧は強かった。共産党員は捕まり、留置場で拷問され、転向を強要された。多くの共産党員は転向をした。転向をしないで蟹工船の作者小林多喜二のように殺害された党員もいた。厳しい取り締まりのために共産党の運動が広がることはなかった。戦前のことである。

戦後の日本は議会制民主主義国家になり、共産党は政党として公式に容認され、自由に政治活動が許された。

共産党は日本ではなくロシアで起こった社会主義革命の影響で結成した政党である。だから、共産党が目指すのはロシアを真似た社会主義革命である。日本の現実とはかけ離れたものだ馬場代表は共産党は「世の中にあり得ない空想の世界」を作っていると述べている。その通りである。妄想の中で生きているのが共産党である。

福島原発処理水の放水で維新の会の支持率は上がり　共産党、社民党、立憲民主の左翼の支持率は下がる

福島原発処理水の放水に対して、日本維新の会は、風評被害の解消に努めていく方針を決定した。そして、処理水を「汚染水」と発信する立憲民主党の一部や共産党への対決姿勢も鮮明にした。

処理水問題は政治問題ではない。海が汚染するかしないかの科学問題である。ＩＡＥＡは海が汚染されることはないと科学的判断をした。

東京電力は処理水放出が始まると毎日海水を検査している。科学的に海は汚染されていないと判断されたし、実際の検査でも問題はないという結果が出ている。

原発処理水が汚染しない事実を先頭に立って国民に理解させるべきは国会議員である。

真実を国民に理解させ、不安を解消するのは国会議員の任務である。国会議員のやるべき仕事を積極的に実践しているのが維新の会である。

馬場伸幸代表は党の会合で、科学的に問題がないと指摘した上で、「われわれも堂々と処理水放出については応援をしていく」と述べた。また、独自の風評被害対策として、東北の食材を使ったイベントの検討を指示した。

言葉で伝えるだけでなく、食材を使ったイベントまでやろうとしている維新の会である。東北の食材を使った料理を議員が食べれば安全性の信頼はますます高くなる。国民の不安をなくすために維新の会だけでなく全ての政党がやるべきことである。しかし、左翼政党はやらない。共産党、社民党、立憲民主の左翼は国民の不安を高めるために非科学的な風評を拡大している。

維新の会の藤田文武幹事長は左翼に対して、「責任ある政治に関わる、特に議員については、非科学的な、フェアじゃない態度で不安を煽るよ

うなことはあってはならないと思う。そういう議員について私は軽蔑します」と述べた。藤田幹事長の発言は国会議員として当然の発言である。

国会議員でありながら科学的に安心であると証明している事実を隠し、国民を不安にさせる風評を拡大することは許されないことである。ところが共産党など一部の議員が風評を広めている。維新の会はそれも許さない。同じ野党であっても理不尽な左翼を批判していくのが維新の会だ。

「我々は、国民の安心のために尽くす」を念頭に置いているのが維新の会である。

藤田氏は、

「自民党と維新は正面から対立する与党と野党だが、科学に基づいて粛々と国民の安心を担保していくべき課題については、政府をサポートすべきことがあってもいい」と述べた。そして、立民や共産を念頭に、

「政治的に自民党の足を引っ張ってやろうみたいな思惑の中でやっているのだとしたら、こんな情けないことはない。次の衆院選では無責任な勢力に権力を持たせない。維新が新しい政治構図を作るために頑張りたい」と述べた。

処理水の放水は始まった。これからずっと放水は続く。そして、毎日検査して放水が安全であることがニュースになる。

読売新聞社の全国世論調査で、政府が24日に東京電力福島第一原子力発電所の処理水の海洋放出を始めたことについて聞くと、「評価する」が57%であった。「評価しない」は32%であり「評価する」を上回った。これからは「評価する」は上がり、福島の海水が安全であると信じる国民が増え続けるのは確実である。

維新の会に対する国民の信頼は高まり、支持率はぐうんと上がるだろう。逆に共産党、社民党、立憲民主の支持率は下がるだろう。それは確実である。

「処理水放出が始まった　国内の風評被害はないと予想する」は正しかった

原発処理水の海洋放出から1週間の31日明け方のいわき市中央卸売市場では、ヒラメやイセエビ、カツオなど、「常磐もの」の魚が並び競りが行われた。市場では高値での取引が続いていて、31日も量が少ないこともあり、1割ほど高い値段で取引された。

山常水産・鈴木孝治社長「最初は不安でしたけども、(放出前と)全然変わらない」

風評被害が最大に出るのは処理水放出の一週間である。この一週間は風評被害が全然なかった。ということは風評被害はないということだ。

東京電力は毎日海水検査をし、検査結果を発表している。

検査の結果はすべての地点でトリチウムの濃度が検出できる下限の値、1リットルあたり7から8ベクレルを下回り、人や環境への影響がないことを確認した。また、「セシウム」などの測定では、いずれも検出できる下限の値を下回ったと発表した。

予想通り日本では風評被害はなかった。今の日本は左翼の嘘が通用しない社会になった。

ＬＧＢＴ問題を考える

5月24日

ＬＧＢＴ法は新たな犠牲を増やす危険な法

ＬＧＢＴＱとは、Ｌｅｓｂｉａｎ（レズビアン、女性同性愛者）、Ｇａｙ（ゲイ、男性同性愛者）、Ｂｉｓｅｘｕａｌ（バイセクシュアル、両性愛者）、Ｔｒａｎｓｇｅｎｄｅｒ（トランスジェンダー、性自認が出生時に割り当てられた性別とは異なる人）、ＱｕｅｅｒやＱｕｅｓｔｉｏｎｉｎｇ（クイアやクエスチョニング）の頭文字をとった言葉で、性的マイノリティ（性的少数者）を表す総称のひとつとしても使われることがあります。

「ＬＧＢＴ理解増進法案」が自民・公明党案と立憲・共産党案の二種類が国会に提出された。

「ＬＧＢＴ理解増進法案」は、肉体は男性でありながら心は女性である人。肉体は女性でありながら心は男性である人を理解し差別しないことを目指したものである。

自民党では法案への反対・慎重意見が多かった。議論を深めていかなければならない状態であったが、党内会合で幹部側が議論を打ち切った。保守系議員を中心に不満が渦巻く中で自民党幹部は法案を提出したのである。それには急いでださなければならない理由があった。

Ｇ７加盟国でＬＧＢＴ法がないのは日本だけであり、日本は遅れていると批判されていた。その批判をかわす目的で自民党幹部はＧ７開催前に提出したのである。法案への反対・慎重意見の方が過半数であったのにＧ７開催前に出すのを優先させたのである。

自民党の修正案に対して立憲民主党や共産党は、修正は認められないとして、もとの法案を提出した。

Ｇ７国ではＬＧＢＴ法がすでに制定している。弱者である性不一致者を平等にするという目的の法であるが、制定した国では新たな問題が生じている。

ＬＧＢＴ法は自称するだけで自称する性を認める法律である。「私は女性です」「私は男性です」と主張すればその人は女性、男性として認められるである。医学的には完全な男性であるのに女性を自称すれば女性として認められるのだ。嘘であっても認めるしかないのがＬＧＢＴ法であるのだ。この法律が原因で多くのトラブルが発生している。

スコットランドでは医師による判断なしで自らの性別を決めることができるという法律ができた。で、２人の女性をレイプした男性が起訴後に女性になることを決めた、そして女性刑務所に収容された。レイプした男が入った刑務所の女性は恐怖に襲われた。

イギリスでは女性刑務所に移されたトランス女性が他の女性囚人に性的暴行を加えた。彼は男性刑務所に戻された。

つまり「私は女性」と嘘をついても「女性」になれるのがＬＧＢＴ法であるのだ。「嘘」を嘘であることを証明する方法がない法律である。医学的には完全な男性であっても「私は女性」と名乗れば女性になれるのだ。女性をレイプした男性であっても「私は女性」と自称すれば女性になれる。医学を完全に無視したのがLGBT法である。

なぜ自称女性が女性をレイプするのか。原因は彼の肉体、遺伝子・ホルモンが男性であり、彼の本能が男性だからである。本能が男性であるから女性を襲ったのである。

心は女性でありながら医学的には男性であるのが自称女性である。

以前は男性が女性になるために性転換手術をし、女性ホルモンを注射して肉体も女性になる努力をした。性転換をした人間は男性、女性として認める傾向にある。しかし、「LGBT理解増進法案」は性転換をしなくていい。「自称」すればいいだけである。「私は女性です」と言えば女性として認めるのだ。性転換手術をしなくていいし、ホルモン注射もしなくていい。医学的には完全な男性である人間が「私は女性です」と言うだけで女性として認められる法律である。

だから、嘘が通用する。「自称女性」が女性をレイプすることが起こる。これは女性にとって深刻な問題である。「自称女性」が女性をレイプする事件は実際に起こったのである。「自称女性」が女性専用トイレや風呂に入ろうとしてトラブルになることが多く起こっている。それに対処する法律が全然ないのが先進国の法律である。

日本でもLGBT法を施行している国と同じことが起こる可能性がある。それなのに問題に対処する法律が全然ないのが自民と立憲が提出したLGBT法案である。無責任である。法律がない時より新たな被害を増加させる可能性が高い法案である。

5月25日

LGBT法案は医学を無視した新たな犠牲を増やす危険な法である

LGBT法で深刻な問題を抱えているのが女性スポーツ界である。自称女性の男性が女性として参加すれば自称女性が勝つケースが確実に増える。このことは医学的に証明している。

ネットでスポーツに関係した問題を探した。見つけたのを掲載する。

〇ハバード選手は10歳代から男性として大会に出場していたが、23歳で一度競技を辞め、30歳代半ばに性別適合手術を受けた。その後、女性として競技に復帰し、2017年の世界選手権で銀メダルを獲得した。

〇コネチカット州の高校生陸上選手、テリー・ミラー。トランスジェンダー女性である彼女や他の選手が州の大会で優勝を独占した結果、3.人の女性選手が競技への参加資格において「自認する性」を優先する州の方針に異議を唱えた

〇アイダホ州はトランスジェンダー女性（出生時の生物学的な性は男性だが、自認する性が女性の人）が女性スポーツで競技することを禁じた最初の州となった。

トランスジェンダーの女性スポーツ選手が競技への参加を認められる事例が増えている一方、それに反対する声も根強く存在する。

身体能力の違いに関する調査や研究が不充分な現状にあって、スポーツ関係者らは「本人が自認する性」か「生物学的な性」、どちらを採用すべきかという難しい選択を迫られている。

アイダホ州は、選手に対し、出生時に決定された性別にもとづいて競技に参加することを義務付けている。選手の参加資格が疑われた場合、医師による身体検査、遺伝子検査、そしてホルモン検査を必ず行うよう求める法を制定した。

アイダホ州の制定したこの法律に対し、トランスジェンダーの選手たちはアメリカ合衆国憲法修正第14条で保証された平等の保護に違反するものだとして、同州の連邦裁判所に異議申し立てを行った。

スポーツ競技は男性と女子に分かれている。分けているのは性が違うということが問題ではなく、男子と女子には体力に大きな差があるからである。体力に優れている男性と競争すれば女性は確実に負ける。だから、男性と女性に分けて競争をしている。

男性と女性の体力の差はホルモンのテストステロン（Testosterone）の分微量に関係がある。テストステロンは筋肉や骨量の増加に属するホ

ルモンである。女性のテストステロンの分泌量は男性の５－１０％程度である。だから体力が劣っているのである。

女性の体力が男性より劣っているのは医学的にすでに証明されているのだ。テストステロン分泌が多ければ筋力がアップして女性でも筋力が強力になる。

南アフリカの女性陸上選手、キャスター・セメンヤ（現在は女子サッカーの選手）はオリンピックや世界陸上などで数々の金メダルを獲得した。男性疑惑が生じ、調査の結果「性分化疾患」であることが判明した。彼女のテストステロンの値は通常の女性の３倍であることが明らかとなったのである。人為的なものではないためメダルは剥奪されなかった

医学は男性と女性の体力に差がある原因をすでに解明している。しかし、ＬＧＢＴ法は医学を無視している。男性が「私は女性」と自称女性宣言すれば女性として認めて自称女性が女性スポーツに参加することを認めている。

自称女性宣言＝女性と認知するのがＬＧＢＴ法である。自称女性になったからといって肉体が女性に変わるものではない。体格は男性であり、男性ホルモンも男性のままである。

テストステロンが１００％に近い自称女性選手が５－１０％程度の女性選手に勝つのは当然のことである。

トランスジェンダーの女性スポーツ選手が競技への参加を認められる事例が増えているのが「先進国」である。一方、それに反対する声も根強く存在するのが「先進国」である。

身体能力の違いに関する調査や研究が不充分な現状にあって、スポーツ関係者らは「本人が自認する性」か「生物学的な性」、どちらを採用すべきかという難しい選択を迫られている。

トランスジェンダーはすでに多くの問題が生じている。この事実に目を背けているのが自民党、立憲民主が提出しているＬＧＢＴ法案である。

5月27日

20年前からあったトランス女性風呂入浴の女性パニック

20年前、実際に女性風呂入浴時にトランス女性と遭遇したことのある女性。トランス女性への配慮と女性の権利を守ることをどう両立させればいいのか、

トランス女性がルール破り女性風呂入浴"混浴"した女性はパニック状態「すごいぐるぐる回っちゃって…」

女性が風呂場でトランス女性に遭遇したのは2000年代始めに行われた合宿型のイベント中だった。イベントはレズビアンやバイセクシャル女性が主体となって運営され、ヘテロセクシャル（異性愛者）の女性も参加。ある時期からは、トランス女性も受け入れるようになった。もともとLGBT（性的マイノリティー）の女性同士が悩みを共有したり、交流したりすることを目的としており、かいわいでは有名なイベントの一つだった。参加者は日帰りと泊まりがあって、1つ2つのワークショップに出て帰る人もいた。性的マイノリティーが7〜8割、異性愛者も2〜3割くらいはいたと思います」

そのときは泊まりだけで60人弱が参加。トランス女性も少数ながらおり、寝食をともにしながら交流を図ったという。女性はレズビアンでパートナーとともに参加していた。トランス女性たちとは顔見知りだった。

イベントでは事前にさまざまなルールが決められており、入浴時のルールもあった。その中でトランス女性に対しては、女性専用の大浴場の使用禁止が当事者に伝えられたという。これは、イベント会場の「大浴場は男女別」というルールにのっとっており、当時の社会的なトランスジェンダーに対する認知度からも妥当との判断があった。他の女性参加者と混浴になることを防ぐほか、宿泊した会場は貸し切りではなく、スポーツ団体

や新入社員の研修など幅広い用途に利用されていたため、公共性を確保しなければならなかった。

「トランスの人は未オペ（性別適合手術を受けていないこと）の人も参加していましたけど、身体性別が男性の人はユニットのシャワールームを使って、大浴場を使用しないでくださいと伝えてありました」

イベントの運営を手伝っていた女性がパートナーとともに大浴場に向かったのは夕方ごろだった。〝異変〟を感じたのは、大浴場の手間にあった待機所に差しかかったときだった。

「外にロッカーがあり、休めるような場所があったんですけど、ほかの団体の若い女性たちがいて、なんだか不穏な空気でした。ヒソヒソしているなと思いました」

胸騒ぎの理由は分からなかった。ただ、混雑時間帯にもかかわらず、妙にひっそりとしていた。

「そのくらいの時間帯にお風呂に行く経験は以前もあったんですけど、そのときは本当に人っ子ひとりいない」。女性はそのまま脱衣所に入り、服を脱いで大浴場のドアを開けた。洗い場に他の入浴者は見当たらない。そして、大浴場に目を向けると、予期せぬ光景を目撃したという。

「誰だろうと思って見たら〝その人〟なんですよ。エッて」

女性の認識では、そのトランス女性は手術をしていなかった。女性は瞬時に凍りつき、どう対応すべきか迷った。

「本当に1人だけ入浴していたんですよ。大きな湯舟の縁に腰かけて。何やってんのってとがめるようなことをしても、長話になったり、逆ギレされる可能性も怖いと思いました」

自分のことより同伴者のことが心配になった。

「彼女も驚いていましたよね。うわーって思ったと思う」。動揺を必死にこらえながら、無言で体を洗い終え、トランス女性も入浴している中、湯舟に入り、二言、三言言葉をかわし、先に風呂を出た。

「でも、手術をしたら言うよね」　理解できた若い女性たちの“不穏ムード”　約束破られ大混乱に

「頭の中は『この人、オペしたんだっけ?』、そればっかりで…。でも、手術をしたら言うよねっていうことがすごいぐるぐる回っちゃって。確かに、その場ではブラブラさせていなかったんですよ。チラチラ見ちゃいましたが、とにかく、はてないっぱい。結局、その場では分からないままお風呂から出て…」

あとから考えてみれば、身体男性であることを悟られないようにする“タック”と呼ばれる方法を使っていた可能性もあった。「ほかの人がいないというのは、この人がいたから逃げたんだなと思いました」。若い女性たちがソワソワしていた理由も理解した。トランス女性と風呂場で鉢合わせたショック、事前の約束を破られたことによる不信感、直接確かめることもできない葛藤…さまざまな感情が入り混じった。

イベントは運営も参加者も性的マイノリティーとの交流に積極的で寛容だった。それでも、今後のあり方について考えざるを得ない出来事になった。発生から20年近くたつのに、女性にとってはトラウマのように記憶に刻まれている。

「トランス女性が・・・・・」

自称女性は肉体は男性であっても心は女性であることを主張し、国民が理解することを要求する。しかし、身も心も女性のシスジェンダーがトランスジェンダーは肉体は男性でも心は女性であると信じる努力をしても、風呂場の裸の男性の肉体のままの「自称女性」を女性と見なすことはできない。男性への恐怖が生じる。これは女性の本能である。

「自称女性」のトランスジェンダーは自分の女性「心」を主張し理解をするのを要求するだけであり、身も心も女性のシスジェンダーの「心」を知る努力を全然しない。自称女性は自分の心が女性であることを理解させるだけでなくシスジェンダーの心を理解する努力をするべきである。

トランスジェンダーの女性の心とシスジェン

ダーの女性の心は同じではない。違う心である。

自民党、立憲が提出したＬＧＢＴ法案にはトランスジェンダーの心を認めることを優先しているだけでシスジェンダーの心を無視している欠陥法案である。「心」を適切に裁く法律をつくることは不可能に近いほど困難である。ＬＧＢＴ法案は廃案にするべきだ。

5月28日

ＬＧＢＴ法案に反対する女性たちが立ち上がりデモをした

ＬＧＢＴの性的少数者への理解増進を図る法案の廃案を求める女性有志が27日、国会正門前でデモ活動を行った。市民団体「女性と子どもの権利を考えまちづくりにいかす杉並の会」が主催したデモである。同会代表の青谷ゆかり氏が問題にしているのは、ＬＧＢＴ法制が先行した国では女性や子供に被害が出ていることである。

トランスジェンダー女性（生まれつきの性別は男性、性自認は女性）が海外で女性競技スポーツに参加するようになると身体能力に劣る女性選手の活躍が阻まれている状況になっている。トイレなどで自称女性が入るようになり、女性の被害が出ている。青谷代表は、

「（ＬＧＢＴ法制が）先行した国は女性や子供に被害が出ている。主観でしかない思い込みを法令化するのは異常だ」

と述べ、性自認の法令化に反対の考えを強調した。

青谷ゆかり代表は東京都渋谷区などで女性専用トイレの代わりに性別に関係なく利用できる「ジェンダーレストイレ」が設置される状況に強い懸念を持っている。過去に性被害を受けた女性が男性も入るトイレに入れなくなる恐れがあるからだ。青谷代表はトイレなどに女性専用のスペース設置の義務付けを求めている。

デモに参加した豪州出身の女性は、同国で性別変更の要件に性別適合手術を除外された状況を説明し、「女性トイレなどに（身体が）男性の人が合法的に入れるようになった。公共プール施設の着替え室には女装する男性がいた。女性は施設を

使わないようになった」と警鐘を鳴らした。

ＬＧＢＴ法は新たな性被害をもたらす法である。

複数のデモ参加者は性自認の法令化による弊害に懸念を示すと左派系団体から、「トランスジェンダー差別だ」と糾弾された経験も訴えている。ＬＧＢＴ法案には左翼が絡んでいるのだ。

ＬＧＢＴ法案をめぐっては与党案、立憲民主・共産・社民の３党案、日本維新の会と国民民主党案の計３案が国会に提出されている。立民などの３党案は「性自認を理由とする差別は許されない」が共通している。そして、ＬＧＢＴ法による女性差別は問題にしていない欠陥法案である。

デモの参加者はわずか約２０人であるが、意義は大きい。これから拡大していくだろう。

５月３０日

シスジェンダー女性とトランスジェンダー女性は違う　分けるべき

アメリカ・ミシシッピ州ガルフポートの高校でトランス女性として入学し高校生活を送ってきたＬさんであったが、卒業式に女子生徒のドレスコードであるドレスとヒールを身につけたという理由で、卒業式に出席するのを禁止された。３年間トランス女性として高校生活を送ったし、高校３年のプロム（卒業前のダンスパーティー）に、青いドレスを着て行った際、学校には何も言われなかったのに卒業式には出席禁止されたのである。

Ｌさんの家族は、娘が卒業式に自分が望む格好で参加できるよう、ミシシッピ州南部地区の連邦地方裁判所に提訴した。ＡＣＬＵ（アメリカ自由人権協会）が家族の代理となったが、卒業式の前日、ミシシッピ州ガルフポートの裁判官は訴えを棄却した。

卒業式の２週間ほど前、Ｌさんは校長室に呼ばれ、『ドレスを着て参加はできない。男子生徒のドレスコードに従う必要がある』と言われた。Ｌさんは校長にいわれたことを守らずにドレスを着て参加しようとしたので出席を禁止されたのである。

ニュースへのコメントは「素の自分で学校生活を送っていたのに、なんで卒業式には素の自分で参加できないの？」と学校側への批判が多い。なぜ、学校は禁止したのか。そのことについてはニュースは書いていない。学校はトランス女性を入学させたのだ。学校はトランス女性を容認していた。だから、学校側は卒業式でもドレスを着て参加することを認めていたはずである。しかし、禁止した。なぜ、禁止したのか。考えられるのは他の女生徒が反対したということである。

学校としてはドレス出席を認めていたが多くの女生徒が反対したのだ。女生徒の反対が多いために学校側はＬさんのドレス参加を禁止したのである。女生徒から見ればＬさんはトランス女性である。理屈による女性であってノーマルな女性ではない。他の女生徒にとって女性と見なすことに抵抗があったと思う。

Ｌさんは、「ありのままの自分でいられたし、受け入れられた気持ちがした。学校に理解され、サポート体制がよくできていると感じた」と述べている。Ｌさんはトランス女性として自由に学校生活を過ごしたのである。女性には生理がある。しかし、Ｌさんには生理がない。普通の女性には「自称女性」のような内からの女性の心は強くない。心ではなく生理や声、肉体が変化することによって女性であることを自覚するようになる。生理前には感じなかった男性との違いを意識するようになる。女性としての心は心の外からやって来るのが普通の女性である。しかしＬさんは外は男性でありながら内から女性になった。ノーマルな女性とは心が違う。ノーマルな女性との違いを理解する努力をしないで、自分は女性なのだと振舞ったＬさんである。Ｌさんとの違いを強く感じていたノーマルな女性高校生たちはＬさんを自分たちと同じ女性だとは認めることができなかったのだ。だから、卒業式にＬさんが自分たちと同じ女性として参加することに反対したのだ。

Ｌさんは自分が女性であることは主張しても、ノーマルな女性を理解していない。理解する努力もしなかった。自分が女性であることを主張して女性として行動することにまい進しただけである。だから、ノーマルな女性たちに敬遠されたのである。

シスジェンダー女性とトランスジェンダー女性は違う。一つの女性の枠に閉じ込めるのは間違っている。そのことをガルフポート高校は示したのである。シスジェンダー女性とトランスジェンダー女性は区別するべきである。卒業式でＬさんは一人だけのグループにするべきである。Ｌさんはシスジェンダー女性から離れて、たった一人になってもいいからトランスジェンダー女性としてドレスを着て出席することを学校と交渉するべきだった。

女性をひとくくりにすることが間違っている。

6月4日

ＬＧＢとＴは違う　ＬＧＢ法とＴ法に分けるべき　ＬＧＢ法は問題ない

ＬＧＢＴとは

Ｌ＝レズビアン（女性同性愛者）

Ｇ＝ゲイ（男性同性愛者）

Ｂ＝バイセクシュアル（両性愛者）

Ｔ＝トランスジェンダー（生まれた時に割り当てられた性別にとらわれない性別のあり方を持つ人）

である。ＬＧＢは二人の関係の問題である。二人の生活は自立していて他の男女との生活に関わることはない。だから、社会的な問題はない。ＬＧＢを嫌い差別する人はいるが、それは個人の思想の自由であって差別行為がＬＧＢへ直接影響与えるものでなければ許される。差別行為をすれば警察、裁判に訴えればいい。

日本で同性結婚が認められていないのは差別

であり、違憲であると主張し、２０１９年2月１4日に同性婚を求める１３組の同性カップルが国を相手取り一斉に提訴した。

２０２３年5月３０日、名古屋市中区の名古屋地裁は同性婚を認めないことは憲法に違反すると判決した。同性婚は憲法に違反していないと名古屋地裁は判断したのである。憲法違反であるとの判決もある。合法であろうと違法であろうと他人の生活に支障をもたらさない。ＬＧＢの人間の問題である。Ｔを除外したＬＧＢ法案なら成立させることができるはずだ。ＬＧＢ法案が施行されても差別される人間はいない。世の中にはほとんど影響しない。

Ｔのトランスジェンダーは違う。医学的には男性でありながら心は女性の人間が医学的に女性と同一視することはできない。医学的に違うのだから心が女性であろうと１００％の女性ではない。５０％だけの女性である。

裁判では同性婚を認めていない現在の法律は「(憲法) ２４条2項に違反する」そして「１４条1項に違反する」と述べた。

２４条2項

配偶者の選択、財産権、相続、住居の選定、離婚並びに婚姻及び家族に関するその他の事項に関しては、法律は、個人の尊厳と両性の本質的平等に立脚して、制定されなければならない。

日本国憲法第１４条1項

すべて国民は、法の下に平等であつて、人種、信条、性別、社会的身分又は門地により、政治的、経済的又は社会的関係において、差別されない。

今回の判決は国民の平等を重視した判決である。２４条1項は、

婚姻は、両性の合意のみに基いて成立し、夫婦が同等の権利を有することを基本として、相互の協力により、維持されなければならない。２４条1項の「両性」が婚姻の絶対条件なのである。２4条2項「１４条1項は結婚に男女の差別があってはいけないという男女平等を強調したのであって、同性については述べていない。２４条1項で結婚の性の問題はすでに述べてある。

1項で同性を否定するとは書いていないから憲法は同性も認めているというのは屁理屈であ

る。

同性の結婚は憲法改正が必要である。ＬＧＢ法を主張するなら憲法の間違いを指摘し、憲法改正を目指すべきである。

ＬＧＢ法は制定可能である。しかし、Ｔは無理である。制定すれば多くの問題が噴出する。

ＬＧＢとＴの決定的な違いを指摘する専門家、政治家はいないのか。

6月5日

ＬＧＢＴ法案を支持する専門家はＬＧＢを主張し、否定する専門家はＴを主張する　違いを認識しない愚かさ

ＬＧＢＴ法案に賛成する専門家の主張である。

世界の民主主義陣営の総意として、私たちは人種、性別、性的指向、出自、年齢、階級、障害の有無などを理由とするアンフェアを解消する方向へ進んでいます。

はっきり言えば、この件についてはもう基本的な議論は尽くされています。欧米でもまだ反発の声を上げる人はいますが、あくまでも中心から外れた一部の勢力。「反差別」はもはや人類の既定路線となっているのです。

世界の民主主義を強調し、法や制度上の差別をなくすことであると主張している。差別をなくす法律がＬＧＢＴ法案であるというのである。

ＬＧＢＴ法案に反対する専門家はＬＧＢではなくＴを問題にする。

トイレは、身体にかかわらず、性自認で利用することが「国際的潮流」である。

公衆浴場は、現行では衛生等管理要領があるため、身体に沿った入浴が行われている。

しかし、もしも性自認による差別を禁止する法律が成立した際に、「対応に何ら変更はない」ということが保障されているのだろうかという疑問がわくのは、申し訳ないのだが、当然だろうとＬＧ

ＢＴ法案を否定する専門家はＬＧＢではなくＴを問題にする。

　専門家は米国で健康ランドのような場所で、女風呂にいたトランス女性（公式書類も女性）が、小さな女の子のまえで性器を勃起までさせていたという事件を取り上げている。

　外国での先例を踏まえれば、「性自認による差別」を法律として書き込む際に、将来に生じ得る問題になるのは当然である。現在は性別適合手術をしてひとの戸籍の性別変更の審判を許す特例法がある。しかし、ＬＧＢＴ法が成立すれば男性の外性器をつけた戸籍上の女性が成立する可能性がある。韓国の女子自転車競技に女性に性転換したナ・ファリン選選手が参加し優勝した。

　ナ選手は他の女子選手と比べて明らかに体が大きい。ナ選手は１８０㎝・７２㎏である。ナ選手は性転換をした心は女性かもしれないが肉体は男性である。スポーチは心で競争するのではなく肉体で競争する。肉体は女性と肉体は男性が競争すれば肉体の男性が勝つのは当然である。

Ｔ法は女性が被害、差別を受ける法律である。ＬＧＢ法とＴ法は区別するべきである。区別しないから論点がずれた賛成派と反対派に分かれているのである。

6月7日

「自称女性」は女性ではない「自称女性」の男性である

40年以上の歴史を持つ全米最大規模のLGBTQ人権団体が初の非常事態宣言をした。今年は、アメリカ各州の議会で、これまで最多だった去年の2倍以上となる、75を超える反LGBTQ法が成立したからである。LGBTQ法が制定されている米国で急速に反LGBTQ法が拡大している。

6月は、LGBTQの権利向上を目指す「プライド月間」とされ、各地でLGBTQの理解を深めるイベントが行われている。一方で、ロサンゼルスの小学校では今月、子どもへのLGBTQ教育に反対する保護者が学校前で抗議し、警察が出動する事態も起きている。

LGB(レズ、ゲイ・バイセクシュアル)を差別する人もいる。差別する人も居る。彼らが他の人たちに街を及ぼす人間ではないことを理解させる運動は必要である。LGBは二人の世界が中心である。社会の秩序を曲げる存在ではない。

T(トランスジェンダー)の自称女性が女性としてスポーツに参加するのは違う。医学的には男性であるから他の女性より筋肉は優れている。女性より有利である。スポーツの世界ではトランスジェンダー女性は「自称女性」の男性である。

「自称女性」は自意識で自分は女性と思うことである。自意識で感じる女性心理とはどんな心理なのか。ノーマルなすべての女性にある女性心理とは・・・。女性心理とは生まれながらにあるもので医学とは関係ないのか・・・。

「私は女性」と宣言するだけで女性と認めるT法はおかしい。人間の精神は複雑で深い。精神障害で本当の心理とは違う心理が現象することもある。そのことを解明したのがフロイトである。

フロイトは夫は浮気をしていないのに夫が浮気をしていると思い込みノイローゼになった主婦の治療をした。夫は浮気をしていないと伝えても主婦のノイローゼは治癒しなかった。フロイトは主婦の深層心理を調べていった。すると主婦の深層心理に浮気の欲望があることがわかった。浮気欲望の罪意識を中和するために夫が浮気をしているとと思い込んだのである。フロイトが主婦の深層心理を説明するとノイローゼは治癒したという。

トランスジェンダーの自称男性・女性はなぜ、肉体とは違う性を感じるのか精神分析をするべきである。精神分析することによって違う性を思う原因が解明されるはずである。精神の深層分析で嘘のトランスジェンダーになった者を多く見つけることができるはずだ。そもそも心理で男女の違いを明確にはまだ解明されていない。医学を無視して「自称」だけで男女の性を決めることはできるはずがない
。

「自称女性」は女性ではない「自称女性」の男性であることをスポーツ界では断定するべきである。

国際自転車連合トランス選手の女子種目出場禁止

共同通信

国際自転車連合（ＵＣＩ）は１４日、出生時の性別と自認する性が異なるトランスジェンダー選手を巡り、男性として思春期を過ごした選手の女子種目への出場を１７日から禁止すると発表した。

ＵＣＩは科学的知見を考慮した結果、出生時に男性だった選手の骨格など、生体力学的要因が有利に働く可能性を否定できないとし「女子種目を守り、公平な機会を確保する措置が必要だ」と指摘した。

（共同）

スポーツは肉体による競争である。自称女性のトランスジェンダーは生体力学的には男性である。女子種目に男性を参加させるべきではない。自転車競技だけでなく、全ての女子競技にトランスジェンダーを参加させるべきではない。

６月２３日

ＬＧＰＴ法反対派の大反撃が始まった

性的マイノリティへの理解を促す「ＬＧＢＴ理解増進法」の成立をしたが、ＬＧＰＴ法に反対する自民党の片山さつき議員らの呼びかけで「全ての女性の安心・安全と女子スポーツの公平性等を守る議員連盟」が発足した。議連には８０人超が名を連ね、西村康稔経産相ら閣僚も含め４０人超が出席した。発起人代表の片山さつき元地方創生担当相は「不安を訴える女性の声に応えていく」と強調した。

ＬＧＰＴ法に反対する理由は女性と子供を守るためである。つまり、ＬＧＰＴ法は女性、子供を差別し危険にする法律であると議連は判断している。

ＬＧＰＴ法に対してジャーナリストの有本香氏は、

「東京２３区の公衆トイレの６２％に女性専用がない。新しくつくられる所でも女性用トイレが省かれる事態になっている。（ＬＧＢＴ法で）こういう状況に拍車をかけるのではないか。

女性の性自認を主張する男性が、女性用トイレなどを利用する権利が認められれば、弱者の女性や女児の安全が脅かされる。」

と述べた。

「女性スペースを守る会」の森谷みのり共同代表は「日本で暮らす誰もが安心安全で暮らせる法律をつくってください」と訴えた。

ジャーナリストの櫻井よしこ氏は「この問題は、会期末のゴタゴタの中で急いでやるような問題ではない。じっくりとみんなの考えを聞き、さまざまな立場の人の声を救い上げ、日本の国柄に沿った解決策を考えていくべきテーマだ」

「日本は同性愛やＬＧＢＴに対する理解は他国よりはある。国柄を守るかたちで、この問題に対処してほしい」

私はＬＧＢとＴについて、ブログで

「6月4日　LGBとTは違う　LGB法とT法に分けるべき　LGB法は問題ない」「6月5日　LGBT法案を支持する専門家はLGBを主張し、否定するのはTを主張する　違いを認識しない愚かさ」「6月7日『自称女性』は女性ではない『自称女性』の男性である」と指摘した。

議員連盟がLGBT法に反対している原因はTにある。Tは女性や子供を危険にする。だから反対するのだ。櫻井氏は「日本は同性愛やLGBTに対する理解は他国よりはある」と述べているが日本が理解しているのはLGBである。

歌舞伎は男が女を演じなければならない。女が舞台に立つことを江戸幕府が禁じたからだ。女を演じるには女の心を知らなければならない。歌舞伎界では女の心を知るために女として男に抱かれた。それがきっかけになってゲイにのめり込む歌舞伎役者も居たという。歌舞伎では有名な話である。

井原西鶴の『男色大鑑』(なんしょくおおかがみ)はゲイを主人公にした小説である。江戸時代にはすでにゲイを認める小説があったのである。30０年続いた町人社会はLGBを認める自由な世界であったのだ。町人文化は脈々と続いている。だから、日本人はLGBには寛容である。

しかし、自称女性を名乗る男性を女性として認めることはできても医学的に男性であるTが、普通の女性と自由に接触するのを認める考えは日本にはなかった。医学的に男性である「自称女性」が女風呂に自由に入ったという記録はない。絶対に入れなかったはずである。女性、子供の安全を守るにはTの行動を規制する必要がある。

自民党の女性議員を中心に結成した「全ての女性の安心・安全と女子スポーツの公平性等を守る議員連盟」は多くの女性や男性の支持を得るだろう。

6月26日

ジャニー喜多川氏の性犯罪はLGBTの深刻な問題である

ジャニーズ事務所の創業者、ジャニー喜多川氏(2019年に死去)による所属タレントへの性暴力疑惑がマスコミで盛んに取り上げられている。一方、成立した「LGBT理解増進法」に対しての意見が盛んに論じられている。

マスコミはジャニー喜多川氏の性暴力を盛んに取り上げているがジャニー氏が性的少数者であるLGBTのGであることを深く追及することはない。一方LGBTを問題する側はジャニー氏のことを取り上げない。ジャニー氏の犯罪はLGBTによる犯罪である。犯罪を防ぐためにLGBTの問題として取り上げるべきである。

LGBTへの理解を推進している人たちはLGBTは少数であり理解されていないから差別されていると主張するだけでLGBTによる性被害を問題にしない。性的少数者であり、差別されていたとしても性犯罪が許されるものではない。性犯罪を減らすにはどうすればいいかをLGBTの問題として話し合うべきである。

LGBTの権利を訴えるレインボーパレードがにぎやかに行われた。

行進の裏ではLGBTによるジャニーズのような少年たちの性被害が増えている現実がある。LGBTの性加害を無視して笑って更新している

連中である。

ノルウェーでは性的少数者を批判する声がSNSで急増しているという。

・2018年と比較して2022年はクィアに関する投稿がツイッターで7倍増加
・2018年から2022年にかけてトランスジェンダーに対するツイート数は6457件から4万4620件と16倍となっている
・ツイッター投稿の47%はトランスジェンダーに対して批判的な投稿、40%むはサポートする内容を占める
・トランスをサポートする声は2018年はツイッター上で55%に対し、2022年は35%と減少
・トランスを批判する声はツイッター上では2018年は20%を占めていたのに対し、2022年は投稿の半数以上が批判的。過去5年間で中立的な意見は減少。

そもそもLGBは普通の男女とは違い、別の存在であると認識した上で彼らの生き方を否定していないのである。

7月7日

教師の少年・少女への性被害を防ぐためにLGBT登録を義務化するべき

ジャニーズ事務所の創業者、ジャニー喜多川氏（2019年に死去）はLGBTであった。ジャニー喜多川の犯罪はマスコミで盛んに取り上げられている。被害を受けたジャニーズのメンバーの告白が取り上げられ、国会でも問題になっている。ジャニーズ所属タレントへのジャニー喜多川の性暴力はLGBT人間の性犯罪である。

ジャニーズの所属タレントへの性加害疑惑を問題にしている立憲民主党は児童虐待防止法改正案を衆院に提出した。ジャニー喜多川の性暴力問題は児童虐待防止法を改正させるほどである。

ジャニー喜多川氏はLGBTのG（ゲイ）である。Gの喜多川氏がジャニー事務所に入った少年たちを性暴力したのである。ジャニー事務所問題はLGBT人間の犯罪によって生じたものであ

る。

　ジャニーズ問題はＬＧＢＴのＧが起こした性加害犯罪であり、ＬＧＢＴの深刻な問題である。ジャニー喜多川氏は死去し、ジャニー事務所では新たな性被害はなくなっている。しかし、学校のＧ教師による少年の性被害は昔からずっとあったし、現在も起こっている。

　奇妙なことがある。

　少数者であるＬＧＢＴの差別のない社会を目指しているＬＧＢＴ法連合会がある。ＬＧＢＴの差別をなくす運動をしている連合会、団体や、動家はジャニーズ性犯罪や学校のＬＧＢＴ教師による生徒への性犯罪についてはなにも言わないのだ。おかしい。奇妙だ。

　ＬＧＢＴを支援するならば国民の信頼を得るためにＬＧＢＴへの差別をなくす運動だけではなく、ＬＧＢＴの犯罪をなくす運動もやるはずである。しかし、していない。

　ジャニー喜多川氏や教師の少年への性犯罪によって国民はＬＧＢＴに対する警戒が広がるだろう。

　少年のＧ（ゲイ）教師による性被害は時々ニュースに出てくるがＬ（レズ）による少女の被害はほとんどニュースにならない。多くの少女がＬによる性被害を性被害だと思っていないからだろう。本当はＧ被害と同じくらいにＬ被害もあるはずだ。少年少女にＬＧＢＴのことを教え正しい性被害も教えるべきである。

　学校での少年少女のＬＧＢＴによる性被害を防ぐためにＬＧＢＴである教師は公言することを義務化するべきである。生徒にはＬＧＢＴについて教えると同時にＬＧＢＴの性犯罪についても教えなければならない。そうすればＬＧＢＴの理解は広がり、同時に性被害も少なくなる。

　ＬＧＢＴ支援者は差別をなくす運動だけでなくＬＧＢＴの犯罪をなくす運動もするべきだ。しかし、ＬＧＢＴが少数であることで差別されていることだけを強調するだけである。ＬＧＢＴであることを隠すことによって学校で起こっている少年少女への性犯罪については沈黙している。

　ＬＧＢＴへの差別禁止を主張するが　ＬＧＢ

Tの性犯罪については沈黙を続けているのがLGBT法連合会であり、支援者たちである。
教師の少年・少女への性犯罪を防ぐために教師のLGBT登録を義務化するべきである。

7月13日

今度は自称ノンバイナリーの男性が女子1500メートルで優勝

トランスジェンダーについて述べる時に「出生時に充てられた性別と〝逆〟の性で生きる人のこと」と『出生時に充てられた性別』を強調する。決して『医学的に決まった性』とは言わない。医学的に男性と書けば読む人は男性をイメージする「自称女性」をイメージする時に男性が女性を装っているように想像する読者は多いだろう。そのようにイメージさせないために「出生時に充てられた性別」とまるで非科学的な政治判断で割り当てられたように表現するのである。このような捻じ曲げた表現は沖縄では何度も見てきた。

例えば辺野古問題で、辺野古の海を埋め立てて米軍飛行場を建設するのは普天間飛行場を移設するためであるが、辺野古移設反対派は移設飛行場とは言わない。「新基地」という。普天間飛行場の移設だとイメージさせないためだ。それに飛行場ではなく「基地」と言う。辺野古に新しい米軍基地を建設するというイメージを持たすためである。本当のことを捻じ曲げるために使用する言葉を変えるのは左翼の得意である。「出生時に充てられた性別」は左翼の得意とする真実の捻じ曲げである。

ノンバイナリー系トランスジェンダーを公表するニッキー・ヒルツ（28歳）選手は7月8日（現地時間）、アメリカのオレゴン州で行われた全米陸上競技選手権大会に参加し、女子1500メートルレースで優勝した。

出生時の性別に違和感をもつが、男の性でもないし女の性でもないという二軸で性に属しない人間をノンバイナリーという。ニッキー選手は医学的には男性であるがノンバイナリーを自任しているのだ。

医学域には男性であり、自称では男でも女でもないニッキー氏が女子の１５００メートルレースに参加したのである。なぜ女子ではない選手が女子のレースに参加できたのか不思議である。

ニッキー選手は、今大会での優勝はトランスジェンダー・コミュニティにとっての“勝利”であると述べている。男性でありながら女子のレースに参加したトランスジェンダーの勝利であるのだ。

ニッキー選手が優勝した瞬間の写真である。他の選手と太ももを比べてほしい。女子選手の太ももは柔らかそうである。しかし、ニッキー選手の太ももは筋肉質である。これは男性と女性の筋肉の質の違いである。男性の筋肉を持つニッキー選手が優勝するのは当然である。

トランスジェンダーが女性競技に参加するのはトランスジェンダーによる女性差別であると考えるべきである。スポーツはＬＧＢＴの精神論よりも医学の判断をもっと尊重するべきである。

７月１３日

自称女性の男性の女子競技参加は絶対に駄目　自称男性の女性が女子サッカー参加はＯＫ

自称女性と自称男性のトランスジェンダーが徒競走、水泳、自転車などの競争をしてもらいたい。そして、どちらが早いかを比べてほしい。普通の男性と女性では男性の方が早い。トランスジエンダーの男女でも男性が早くなければ男性であると言い切るのは難しいだろう。女性より遅い男性が男性を自称するのは・・・「本当に男性？」と疑われるだろう。

自称男性、女性が一緒に競争をしたという話は聞いたことがない。やったことがないからだろう。

自称女性のトランスジェンダーが女性のスポーツ大会に参加している。そして、優勝もしている。ところが自称男性のトランスジェンダーが男性のスポーツに参加したことはない。医学的に女性であるから男性には太刀打ちできないと知っているから男性のスポーツ大会に出場しないのである。トランスジェンダーの医学的男性は女子スポーツに出場して優勝し、医学的女性は男性のスポーツ大会に出場しないのである。

自称男性のサッカー選手は男性チームではなく女性チームに参加している。女子サッカー元日本代表選手・横山久美氏である。横山氏は性自認が男性のトランスジェンダーであることを公表した。男性であることを公表した後も女子サッカーを続け、現在は女子サッカーなでしこリーグ2.部・岡山湯郷Ｂｅｌｌｅに電撃移籍し、キャプテンとしてチームを率いている。横山は２０２１年１１月にアメリカで結婚し入籍をした。妻の名前はなみである。

トランスジェンダー男性であると公表し、結婚もした横山氏であるが女性サッカーチームに所属している。理由は医学的に女性であり、横山氏のサッカーの実力では男性には通用しないからである。だから、女子サッカーに参加している。

医学的に女子であるから女子サッカーをするのは当然のことである。横山氏が女子サッカーをするのに問題はない。問題があるのは、医学的には男性であるトランジジェンダーが自称女子を名乗って男性の肉体のまま女子の競技に参加することである。男性を女子の競技に参加させてはならない。

同性婚は憲法２４条１に違反　憲法改正しなければ同性婚はできない

第二十四条

1、婚姻は、両性の合意のみに基いて成立し、夫婦が同等の権利を有することを基本として、相互の協力により、維持されなければならない。

2、配偶者の選択、財産権、相続、住居の選定、離婚並びに婚姻及び家族に関するその他の事項に関しては、法律は、個人の尊厳と両性の本質的平等に立脚して、制定されなければならない。

第二十四条で「1、婚姻は、両性の合意のみに基いて成立し」と両性のみで成立とはっきり書いている。同性の婚姻については書いていない。同性の婚姻を憲法は認めていない。同性婚は憲法違反である。

ところが名古屋地裁で同性婚不受理は違憲であるとの判決があった。名古屋地裁（西村修裁判長）は違憲の根拠として、「法の下の平等」を定めた憲法１４条と「婚姻の自由」を定めた２４条に違反すると判断したという。第二十四条の１で、婚姻は、両性の合意のみとはっきり書いてある。憲法には同性の合意で婚姻できるとはどこにも書いていない。憲法では両性のみが婚姻できるのだ。ところが西村裁判長は同性婚姻を認めていない現民法は、法の下の平等」を定めた憲法１４条と「婚姻の自由」を定めた２４条に違反すると述べ、同性婚を認めない現民法は憲法違反であると判決した。

第十四条

すべて国民は、法の下に平等であって、人種、信条、性別、社会的身分又は門地により、政治的、経済的又は社会的関係において、差別されない。

華族その他の貴族の制度は、これを認めない。

栄誉、勲章その他の栄典の授与は、いかなる特権も伴はない。栄典の授与は、現にこれを有し、又は将来これを受ける者の一代に限り、その効力を有する。

憲法２４条２と１４条は男女の権利が平等で

あることを述べているのである。男女の権利は同じあることをテーマにしているのであって、性の両性、同性についてはテーマにしていない。婚姻は両性で行われるものであると憲法は述べているだけであり、同性は婚姻の対象にしていない。

同性婚は明らかに24条の1に違反している。西村裁判長は1を無視して2と14条に違反していると主張している。

西村裁判長は憲法で認めている男女の権利の平等を同性の婚姻と強引に結びつけたために同性婚は憲法が認めていると解釈している。

地方裁判だからこのような勘違い判決があってもいいだろう。しかし、最高裁で24条1を無視して同性同士の結婚を認めない民法が憲法違反であると判決が下るのは考えられない。

同性同士の結婚を認めない民法などの規定は、「婚姻の自由」や「法の下の平等」を保障する憲法に違反すると主張しているが、であれば憲法24条1が「婚姻の自由」や「法の下の平等」の憲法に違反していることになる。憲法が矛盾しているのだ。同性婚を憲法で認めさせたいなら、憲法の矛盾を指摘して憲法改定を主張するべきである。

全国5カ所で起こされている裁判で4裁判所は同性婚を認めていない現行の民法は憲法反である判決を下し、1裁判所は合憲と判決した。

憲法は同性婚を容認しているか否かを争った裁判で、憲法は同性婚を容認している。容認していない民法は憲法違反であると同性婚者は主張し、国は民法は合法であると主張した。

国の主張

▼憲法24条1に書かれている『両性』は男女を意味しており、同性婚を想定していない。そのため憲法違反ではない

▼憲法24条が同性婚を想定していないのだから、個人の尊重と幸福追求権を定めた憲法13条でも同性カップルの結婚の自由は保障されていない

▼同じく、憲法24条が同性婚を想定していないのだから、同性同士が結婚できないのは差別ではなく合理的な区別であり、憲法14条の定める平

等原則に反しない
▼同性同士の結婚を認める法律を作るかどうかについては、国会が決められる裁量内のことなので、憲法２４条２項違反でもない

国は、憲法２４条1を根拠に、「民法が両性の婚姻のみを認めているのは憲法違反ではないと主張している。

憲法で婚姻について述べているのは「婚姻は、・・・・・・基いて成立し」の箇所だけである。この文章以外に婚姻について述べている箇所は一つもない。「婚姻は、・基いて成立し」の次に書いてあるのは婚姻した夫婦が同等の権利を有することを述べ、平等な権利を基本として、相互の協力により、維持されなければならないと書いてある。その文章は婚姻の条件については述べていない。婚姻した夫婦は男女平等でなければならないと婚姻後の男女平等について述べている。

国の主張は憲法を正確に説明している。国の主張を裁判で認めるのが当然であるが、そうではなかった。同性婚問題の裁判が５カ所であった。民法は合憲であると判決したのは大阪だけで、他の４カ所の裁判では違憲、または違憲状態との判決を下した。一対四である。

「婚姻は、両性の合意」と明記しているのに違憲判決が出るのは変だと思うしかない。裁判官が同性婚に賛成であったとしても憲法上は「違憲」であると判決をくださなければならない裁判である。ところが同性婚を認めていない民法は憲法違反であると判決したのである。

違憲判決の根拠として、２４条１項の「両性」や「夫婦」という文言は同性婚を想定していない。つまり想定していないということは否定していないということであり、２４条は同性婚を否定していないと主張して、同性婚は２４条に違反しないというのである。

でも、想定していないということは認めていないということだ。認めていないから書いていない。書いていないということは認めていないということである。そう考えるのが自然である。

憲法は同性婚を認めていないということであ

る。だから、民法で同性婚を認めることはできない。だから同性婚については一言も書かない。同性婚を明記していない民法は合憲である。ところが裁判長は、婚姻制度は「重要な人格的利益」を実現するもので、「両当事者の関係が正当なものとして社会的に承認されることが欠かせない」と主張して、伝統的な家族観が唯一でなくなる中、「同性カップルが制度から排除され何ら手当てがなされていないことはもはや無視できない」と述べる。でも、そのことをはなす時の裁判長は憲法になにが書いてあるかではなく、現実の問題を述べている。そして、同性婚は認めるべきであると主張している。裁判長の思想は同性婚を認めている。しかし、裁判のテーマは現実ではないし裁判長の思想でもない。婚姻について憲法の条文にどのように書いてあるかである。ところが裁判長は憲法から離れ現実問題を中心に展開し、自分の主張を述べたのである。

裁判長は「現状を放置するのは」と現実に目を向け、同性婚を認めないのは「個人の尊厳に照らして合理性を欠き、立法裁量の範囲を超えるものとみざるを得ない」として、男女の同権を述べた24条同2項に違反すると主張したのである。2項は婚姻した男女は同権であることを述べているのであって婚姻については一言も述べていない。男女同権を認めているから同性婚も認めているというのはおかしい。同性婚を認めるには同性でも異性愛と同じ愛が存在することを認める必要がある。裁判長は男女の権利の平等と同性愛の違いを理解していない。つまり権利と愛を混合している。

権利と愛の違いを理解していないから、異性愛者であっても同性愛者であっても、性的指向が向き合う人同士が婚姻関係を結ぶことで初めて婚姻の本質を伴うというのである。

裁判長は婚姻は異性であっても同性であっても愛によって婚姻関係を結ぶと主張している。それなのに民法や戸籍法の規定は同性カップルに対し、「自ら選択や変更できない性的指向を理由として、婚姻に対する直接的な制約を課している」と非難し、民法、戸籍法が同性婚を認めないのは14条にも違反するとしていると主張する。これは活動家がいったのではない。現実と憲法と民法の違いを理解し、憲法を中心に考えなければならない裁判長が活動家のように言ったのである。活動家と同じことを主張するのが地方裁判長である。

１４条は「すべて国民は、法の下に平等であって・・・」と国民一人一人の権利が平等であることに裁判長の目は流されている。裁判長は異性婚、同性婚という対で一つになる婚姻と個人の自由、平等を一緒くたにしてしまい、婚姻の問題については全然述べていない。

２４条2.と１４条を根拠に民法や戸籍法で同性婚を認めるように改正するのは違法行為である。裁判官が違法行為を主張しているのが同性婚裁判のはんけつである。

日本国憲法は神が作成した聖書ではない。人間がつくった法律である。聖書のように神聖なものではない。つまり、完璧ではない。時代に合わない条文なら改定する必要がある。憲法は７６年以上前に日本人が作成したものである。今まで一度も改定していない。日本社会は時代とともに変革してきた。変革に合わせて憲法を改正するのは重要である。ところが７０年以上一度も改定していないから憲法改定はできないと信じている人は居るだろうし、解体するのは非常に困難であり、改定には膨大なエネルギーが必要だと思いこんでいるだろう。

同性婚を裁判に持ち込んだ同性婚者と地方裁判長は憲法はそのままで民法を改正して同性婚を認めさせようとしたのである。

同性婚問題の裁判は婚姻に関する憲法裁判である。婚姻に関して憲法は２４条１の前半「婚姻は、両性の合意のみに基いて成立し」とのみ表現している。他の場所で婚姻の条件を述べている箇所はない。同性婚を憲法で認めるためには「婚姻は、両性または同性同士の合意のみに基いて成立し」と新たな文を書き加えなければならない。憲法を改正することによって民法も改正され、法律で同性の婚姻が実現するのである。地方債では民法が違憲であるという判決が出たが、最高裁では民法は合憲の判決になるのは間違いない。

う。

同性婚の実現のために憲法改定運動を始めよ

れも憲法24条1項にある『両性の合意』が同性婚を排除していないと認めたと指摘している。そして、『両性』とあるから同性婚は憲法違反だという主張はもう認められないと断言する。もし、同性婚が合憲であるという理論を根拠にすると、一夫多妻、一妻多夫も合憲であるという理論が成り立つ。

同性婚が合憲であるという根拠は憲法が男女平等、自由を保障し、同時に同性婚を禁じていないということにある。というならば憲法には婚姻は一対一でなければならないとも書いていない。だから婚姻は両性婚だけでなく同性婚でもいいというなら、婚姻が一対一ではなく複数婚でもいいということになる。

ＬＧＢＴのＢはバイセクシュアル（両性愛者）である。Ｂは男性を愛すると同時に女性も愛する。現在進行性で男女と恋愛するのがＢである。愛しあっている男性と女性が一緒に三人で生活しているケースは現実にある。同性婚が合憲であると主張するなら三人が婚姻し、籍に入れるのも合憲である。同性婚が合憲であると主張するのならＢの3人婚も合憲であると主張するべきである。ところが、同性婚が合憲である主張するだけで、三人婚が合憲であるとの主張はしない。

５地裁で違憲の判決を下した裁判長はＢの三人婚は合憲であると判決したに等しい。

憲法は同性婚と同じように一夫多妻、一妻多夫も禁じていない。禁じていないのだから同性婚と同じように一夫多妻、一妻多夫も合憲であるということになる。

同性婚が合憲であるという理論は一夫多妻、一妻多夫も合憲であるという理論にもなる。

両性の婚姻だけではなく同性の婚姻も合憲であるという主張は三人婚、一夫多妻婚、一妻多夫婚も合憲であると主張しているようなものである。

7月1日

同性婚は憲法違反である　合憲にするには憲法改正しなければならない

ネットで同性婚が憲法違反であると述べる評論をまだ一つも見ていない。同性婚は合憲であるという主張が圧倒的である。地方裁判では4つの裁判所で同性婚を認めていない民法は憲法違反であるとの判決が下った。しかし、憲法は両性婚のみを認めている。同性婚は認めていない。

憲法で婚姻について述べているのは第二十四条一か所だけである。

第二十四条

1、　婚姻は、両性の合意のみに基いて成立し、夫婦が同等の権利を有することを基本として、相互の協力により、　維持されなければならない。

婚姻について述べているのはこれだけであり、他の場所で婚姻に述べた箇所はない。憲法は同性婚については述べていない。述べていないのは、同性を婚姻の対象としていないからである。憲法を作成した78年前は同性の婚姻は全然想定していなかったのだ。だから、容認するか禁止するかの法的な対象にすることはなかった。だから、憲法で同性婚は容認もしていないし禁じてもいない。

民法は憲法を守らなければならない。憲法が同性を婚姻の対象としていないのだから民法は同性の婚姻手続きをすることはできない。

私の考えは中学・高校で習った三権分立を参考にしている。同性婚を民法で認めるか否かの問題は法律の問題であり、憲法の問題である。政治の問題ではないし、社会問題でもない。憲法で同性の婚姻を認めていないことははっきりしている。だから、司法が同性婚を認めることはできない。そうであるのに同性婚は合憲ではないと指摘する専門家はいない。なぜ、こんなにはっきりしているのにいないのか。合憲ではないと主張すれば非難が殺到するからである。

非難されるのを恐れているから合憲ではないと主張することができないのである。政治圧力に負けているから同性婚は合憲ではないと主張する専門家はいないのである。

同性婚を合憲にするには国民投票を実施して憲法改正をしなければならない。同性婚問題が憲法改正まで発展するとなるとスケールが大きくなりすぎて腰を引いてしまうだろう。

同性婚は政治的な理由で合憲ではないと主張する専門家はいないのである。

第二十四条1の「婚姻は、両性の合意のみに基いて成立し」を改正しない限り同性婚は合憲にならない。同性婚を合憲にするために、

「同性婚を合憲にするために憲法改正しよう」と国民に訴えて、国民投票を実現しなければならない。

同性婚を実現するために憲法改正運動を始めよう。

7月3日

同性婚を婚姻手続きしない民法は合憲である　同性婚を合憲にするには憲法改正しかない

同性同士の結婚を認めない民法などの規定は憲法違反であると4つの地方裁で判決が下った。

同性婚を憲法が認めている条文として24条2.と14条を根拠にしている。

違憲であると判決を下した裁判長は、同性婚は国民の理解が相当程度浸透してきたことを強調し、同性婚を認めていない現行規定は「憲法24条2項に違反する状態にある」と述べている。第二十四条1の「婚姻は、両性の合意のみに基いて成立し」を2項は否定しているというのである。考えられないことである。

24条2項

配偶者の選択、財産権、相続、住居の選定、離婚並びに婚姻及び家族に関するその他の事項に関しては、法律は、個人の尊厳と両性の本質的平

等に立脚して、制定されなければならない。

憲法は両性の本質的平等に立脚しているというう2項の文章で同性婚を認めているというが、違う。両性とは男女のことであり、男女が婚姻するのを前提にしている。同性婚は前提にしていない。

1項で婚姻は両性の合意と書いてあるのに2項で同性婚を認めることあり得ない。同性婚を容認するなら1項に同性婚も婚姻できると書いてあるはずである。書いていないということは同性婚を婚姻の対象としていないからである。

2項は1項で認めている婚姻が男女平等でなければならないことを定めている。婚姻は男女平等であることを述べているのであり、同性婚については述べていない。2項は「両性の本質的平等」と書いてあるのであり「同性の本質平等」とは書いていない。憲法は同性婚についてはなにも書いていない。

24条2.は1で宣言した両性が婚姻した時の男女の対の関係の在り方を規定したものである。同性婚については一切書いていない。24条2.を同性婚の根拠にするのは間違っている。

婚姻とは対の関係になることである。13条は国民一人一人の個人の自由・平等を規定している。結婚した対の関係の自由平等については書いていない。

結婚は自由である。他人に迷惑をかけないで、その人たちが幸せに暮らすのであれば同性婚に賛成である。同性婚だけでなく三人婚、一夫多妻婚、一妻多夫婚にも賛成である。

問題にしているのは同性婚のことではない。同性婚に対しては関心がない。同性婚をやりたければ勝ってにやればいい。私には関係のないことである。とくらいにしか思っていない。関心があるのは憲法における同性婚問題である。憲法で同性婚を認めているか否かについてである。

婚姻について調べると日本の憲法は同性婚を認めていないことが分かった。憲法では同性婚を認めていないのに憲法は同性婚を認めていると主張する連中がいるのだ。

驚いたことに地方裁判で4人の裁判長が同性婚は合憲であると認め、同性婚を認めていない民法は憲法違反であると判決を下した。

このニュースを見て、憲法が同性婚と関係していることを知った。それから、婚姻について書いてある憲法２４条を読んだ。そして、裁判長が憲法は同性婚を認めていることを根拠にしている１３条を読んだ。２４条１は婚姻は両性がやる。２４条２は婚姻した男女の権利は平等であると規定している。１３条は国民一人一人が自由で平等であることを書いてある。婚姻には関係のない条文である。

民法は憲法の条文を守っている。だから、同性婚を受け付けないのだ。憲法が禁止していないから受け付けないのは憲法違反だと主張するのは、憲法と民法のあるべき関係を無視している。憲法は同性婚を禁止はしていない。婚姻の対象とは見ていないだけだ。だから、民法も同性婚は婚姻の対象とはみなしていないから手続きをしないのだ。

同性婚の手続きをしない民法は憲法違反であると判断した地方裁判所の裁判長は司法専門家として失格である。

最高裁で民法は合憲であるとの判決が下るのは確実である。

同性婚を合憲にするには憲法を改正する以外の方法はない。２４条１の「婚姻は、両性の合意のみに基いて成立し」を「両性または同性の合意のみに基いて成立し」に改定しなければならない。憲法で同性の合意も婚姻の対象となれば民法は同性の婚姻手続きをすることができる。

国民投票で同性婚を認めるように憲法改正をすればいいのだ。国民投票は国会議員の３分の２以上が賛成すればできる。国民投票の事務処理は選挙より簡単である。

自衛隊を憲法に明記するのを嫌った左翼、共産党が反対したから国民投票ができなかった。同性婚は自衛隊とは違って分かりやすい問題であるし、左翼、共産党も賛成だろう。同性婚の賛否を問う国民投票を実現するのは簡単である。自衛隊問題より同性婚賛否の国民投票をやったほうがいい。

憲法改正の国民投票は内容が難しい自衛隊の憲法銘記よりも国民に分かりやすい。同性婚賛否を先に国。民投票したら

難民問題

6月6日

新しい入管法ならウィシュマさんは死ななかった

スリランカ人女性ウィシュマ・サンダマリさんは新しい入管法が施行されていたら死んでいなかった。今の入管法であったから死亡した。ウィシュマさんは「不法残留者」（超過滞在、オーバーステイ）だった。来日から約3年2カ月が経った2020年8月19日、ウィシュマさんは、静岡県内の交番に出頭した。それまでの約1年半は在留資格を失っていた。それに、所在不明になっていた。

ウィシュマさんは大学で日本語を学ぶ目的で日本に来ていた。留学が在留資格だった。しかし、日本語学校を辞めた。その時点で在留資格はなくなったのである。ところがウィシュマさんは所在不明になった。ウィシュマさんは不法残留者だったのだ。不法残留者だから強制退去するのが当然である。しかし、日本入管法は本人がなんらかの理由をつけて日本残留を主張すれば強制退去をさせることができない。退去はしないで長期収容をする。日本の入管法では在留資格がなくても強制退去させることができないのだ。ウィシュマさんは帰国を拒んだので長期収容された。長期収容されていた時に死んだ。長期収容しないで、帰国していれば寺宝することはなかった。

入管法の改正案は、不法滞在などで強制退去を命じられても本国送還を拒む人の長期収容の解消が狙いである。3回目の難民申請以降は「難民認定すべき相当の理由」を示さなければ送還する。改正案が施行されていたらウィシュマさんは死亡しなかったのだ。

ミャンマーの民主主義の戦いを捨てたミョーに難民の資格はない

クーデターで国軍が権力を握ったミャンマーで、市民は軍の激しい弾圧に負けずに民主主義国家を目指して戦っている。弾圧は激しさを増し、国軍の空爆で大勢が死傷し、家を追われて避難する住民も増えている。しかし、民主派の市民は軍の弾圧に屈しない。命を懸けて抵抗し続けている。

ミャンマーの「正統な政府」だと主張する民主派らによる挙国一致政府（NUG）は、中央銀行の機能を持つ組織を暫定的に設立する計画を明らかにした。市民は粘り強く戦い続けて、勢力を拡大しているのだ。そんな神聖な戦いを続けているミャンマーを見捨てて難民として日本に来たのがミョーチョーチョーさん（37）である。ミョーさんは入管法の改正反対に「こんなにたくさん（法案反対）の人が集まってくれたのに」と述べ、法案成立の流れに涙を流して悔しがった。

ミョーさんは「母国に戻れば命が危ない。帰るくらいなら日本で命を絶つ」と言ったという。笑ってしまう。

命を失いたくないからミャンマーの民主主義の戦いを捨てて、平和で安全な日本で楽に生活することを選んで難民を装っているミョーに「命を絶つ」気があるはずはない。日本で命を絶つというのは真っ赤な嘘だ。命を絶つ覚悟があるならミャンマーの民主主義の戦いに参加している。命が惜しいからミャンマーを逃げたのだ。ミョーに死ぬ勇気はない。難民支援者らは「まだ戦いは続く」とミョーの肩を抱いた。吐き気がする猿芝居だ。

沖縄　沖縄　沖縄

辺野古基地建設の設計変更の不承認とした裁判で県は敗訴した。県の敗訴は決まっていたことである。日本は議会制民主主義国家であり、法治国家である。政府は民主主義国家のルールに従って辺野古移設工事を推進してきた。ルールに反抗したのが県政である。県政が敗北するのは当然のことである。県は敗訴すると知りながら裁判を仕掛けたのである。もう、裁判を仕掛ける材料も尽きた。裁判を仕掛けることもできない状況になった。

辺野古移設阻止運動が敗北するのは最初から決まっていた

２００６年に島袋吉和名護市長はV字型滑走路にする条件で普天間飛行場の辺野古移設を政府と合意した。それから7年後の２０１３年に仲井真弘多県知事は政府が提出したキャンプ・シュワブ沿岸の埋め立て申請を承認した。

県民が選出した県知事と名護市民が選出した名護市長が辺野古移設に合意したのである。政府が辺野古埋め立て工事を進めたのは県知事と名護市長の合意があったからである。その後の県や反対団体の反埋め立て運動は議会制民主主義のルールに反するものである。日本の地方自治体である沖縄県に違法運動が通用するはずがない。

反対運動の根拠にしたのが、

「埋め立てすれば辺野古の海が汚染され、サンゴは死滅し、ジュゴンと魚は棲めなくなる」

という嘘であった。嘘を県民に信じさせて辺野古移設反対運動を展開していった。嘘を信じた県民は７０％以上が埋め立て反対票を入れた。しかし、嘘は埋め立て工事が進むにつれてばれていった。埋め立てても辺野古の海は汚染されなかったのである。

辺野古基地建設反対運動は基地建設の阻止運動から始まったが、嘘が明らかになるにつれて反対運動に参加する県民は減っていった。参加者が減っていったので阻止運動を目的にすることが困難になり、阻止運動は基地建設を遅らせる運動に変わっていった。

遅らす運動は阻止を放棄した運動である。つまり、基地建設を容認した運動である。現在は、反対運動参加者が激減したために遅らす運動も難しくなってきた。今は防衛局の埋め立て計画には違法性があると、防衛局の違法性を主張する運動に変わってきている。

防衛局の違法を主張する運動

設計変更申請が承認されていない現状では、防衛局は辺野古側に土砂を仮置きさせてはならないと主張し、毅然とした対応をするように基地建設反対派は県に要求している。また、南部の土砂採取計画の違法性を指摘して計画を撤回するように県や国に陳情している。

辺野古側への埋め立て工事は7月中に終了するにもかかわらず、防衛局は、新たな埋立工事を発注した。しかし、まだ変更申請が未だ承認されていない。現状で着手すれば、違法工事であると指摘している。

辺野古基地建設反対運動が、現在は国に法律を守らせる運動になっているのである。国が法律を守って辺野古基地建設をするのを要求するということは基地建設に賛成しているということである。法を守って建設工事をやれと主張するということは建設に反対とは主張できないということである。つまり、移設に賛成しているということである。

辺野古基地建設反対運動は違法行為の連続であった。

県民大会をキャンプ・シュワブの国道沿いでやった。国道で県民大会をやるのは考えられないことである。県民大会をやるなら運動場などの広場でやるのが常識である。ところが国道でやったのである。違法行為である。

座り込みのテントも国道沿いに建てた。明らかに違法行為である。

辺野古区の南側の海岸の被害を防ぐために護岸工事をやった。土台がコンクリートでしっかりしているので辺野古基地建設反対派はテントを建て、テント村と呼んだ。辺野古基地建設場所からは遠く離れている場所で

ある。辺野古区の人々はテントに猛反対した。しかし、辺野古区の要求を無視して建てたのがテント村である。
テント村も違法である。

違法行為が当たり前である辺野古基地建設反対運動が国に「法律を守れ」の運動になったのである。笑ってしまう。

もう、辺野古基地建設反対運動は消滅したに等しい。

嘘を根拠に始まった辺野古基地建設反対運動が消滅するのは最初から決まっていたのである。

県政は埋め立て工事を阻止するためではなく遅らすために裁判闘争をやった。

普天間飛行場の移設先となっている名護市辺野古での軟弱地盤の改良工事をめぐり、工事を承認しない県に対して国が行った是正の指示が違法かどうかが争われた裁判で、県の敗訴が確定した。県の敗訴に驚くことはない。敗訴するのは最初から決まっていた。県は負けることを知っていながら訴訟をしたのである。

移設反対を掲げて県知事に当選した翁長前知事とデニー知事は政府の埋め立て工事に反対して訴訟した。訴訟を起こしたのは辺野古移設を止めたいという政治的な理由からであったが、すでに政治決着がついている辺野古移設に反対する訴訟をしても敗北するのは裁判が始まる前から決まっていた。

政府は辺野古移設について名護市長と合意した。辺野古埋め立ては県知事と合意した。埋め立て工事は公有水面埋立法に則って進めた。政府は埋め立ての手続きに則って県に要請した。政府の要請は法律に則ったものであり、県が反対する根拠はない。反対することができないのに反対したので裁判になったのである。県が裁判に負けるのは100％決まっていた。

辺野古移設に関して、県と国が争った裁判は13件ある。6件で県の敗訴が確定し、4件は和解が成立するか、県が訴えを取り下げた。つまり県は1度も国に勝っていない。当然である。今回の判決が確定すれば7番目の敗訴となる。敗訴することを知っていながら県は裁判をした。裁判になるのは原因は辺野古移設反対を選挙公約にして県知事になったからである。

辺野古移設阻止を公約にしているから翁長知事、デニー知事は辺野古移設に反対するのが民意であると主張して、移設反対に徹している。

13件目の裁判に敗訴したデニー知事は、

「私が辺野古新基地建設に反対をするという思いはいささかも変わりません」と述べている。デニー知事にとっては裁判の勝敗ではなく、阻止を理由に裁判をすることに意義があるのである。だから、法に則った政府の要求をはねつけた裁判に全て敗北するのである。

辺野古の海が汚染されるは嘘。政府との裁判闘争は全敗。移設反対運動の敗北。埋め立て工事の順法運動＝辺野古埋め立て容認が現在の辺野古移設反対運動の実態である。

嘘と違法だらけの辺野古移設反対運動が敗北するのは当然である。

2015年に「捻じ曲げられた辺野古の真実」を出版した。真実を捻じ曲げていたのは移設反対派である。8年間で反対派の嘘は吹き飛ばされて捻じ曲げられていない辺野古の真実が現実になっていった。

日本が議会制民主主義国家であり、三権分立がしっかりと実施されている国であることを実感した8年間であった。それにしても沖縄の保守は駄目だね。左翼に丸め込まれて左翼の代理人になってしまう。

5月31日

「看板はずせ」が辺野古基地建設反対運動・・・みみっちくなったねえ

辺野古での米軍飛行場建設を阻止するのを目的に始まったのが辺野古新基地建設反対運動である。辺野古基地の埋立てが始まった時に、キャンプ・シュワブでは土砂を運び入れるトラックを阻止する運動を、本部町塩川港では辺野古埋め立てに使う土砂をトラックから船に積むのを阻止する運動を始めた。しかし、2カ所の運動はトラックを阻止することはできなかった。阻止することはできなくても阻止運動は続けた。

塩川港で辺野古基地建設反対を展開している団体は、ある要求を掲げて県庁に押しかけた。反対派に対して県は照屋、池田両副知事、そして前川土木建築部長が反対派の代表との交渉に応じた。交渉の結果、反対派は県から自分たちの要求を勝ち取った。

集まった市民を代表し、交渉に参加した沖縄平和市民連絡会の北上田毅氏は、

「これほどの勝利はこれまでにない。お集まりいただいた皆さんの声が県政に伝わった」

と喜びの声を上げた。完全勝利を勝ち取ったのである。これで辺野古基地建設阻止に一歩前進したかと思ってしまうが、違う。一歩も前進はしない。建設阻止に関係する交渉ではなかったからだ。

反対派が要求したのは『大型車両の往来を妨害する行為等港湾施設の機能を妨げる行為は県港湾管理条例第3条第5号で定める禁止行為に該当する。禁止行為を行った場合には、条例にもとづき過料を科することがあります』と書いてある看板の撤去だった。

反対派は土砂を積んだトラックが塩川港にはいろうとした時に集団で道路を横断してトラックが進むのを妨害する運動を展開している。辺野古の埋め立て地に運ぶ土砂を遅らすためだ。

トラックの前に立ってトラックを止めるのは進路妨害という明確な違反になる。その時は警察がやってきて違反者を捕縛する。反対派は警察に捕縛されないで反対運動を展開する方法として

トラックの前をゆっくりと横断する方法を選んだのである。反対派は、

「一日160台が120台に減らした。そのために基地建設を遅らすことができた」

と反対運動の効果を自慢するのである。辺野古新基地建設反対運動は基地建設の阻止ではなく、基地建設を遅らせることに目標が変わっている。基地建設反対運動ではなく基地建設を遅くしよう運動である。そして、県庁に押しかけ県首脳と交渉したのが看板の撤去だった。看板撤去が反対派には大勝利だったのだ。辺野古基地建設の阻止とはあまりにもかけ離れた勝利である。

　それにしても看板撤去の要求という軽すぎる要求に県の副知事二人が相手にしたのも変である。普通なら無視するはずである。ところが交渉に応じた。

　池田副知事は交渉に応じた時に、

「知事の辺野古反対の思いは全く変わっていません。今回は、皆さんとのコミュニケーション不足だったことを反省しています。今後は、突然、文書を出すようなことはせず、事前に皆さんと十分に意見交換させていただきます。」

と話した。副知事が反対派とあったのはデニー知事が辺野古基地建設反対派と同じだからであった。反対派同士の交渉だったのであったのだ。しかし、県と反対派の話し合いは基地建設を阻止するための話し合いではなかった。

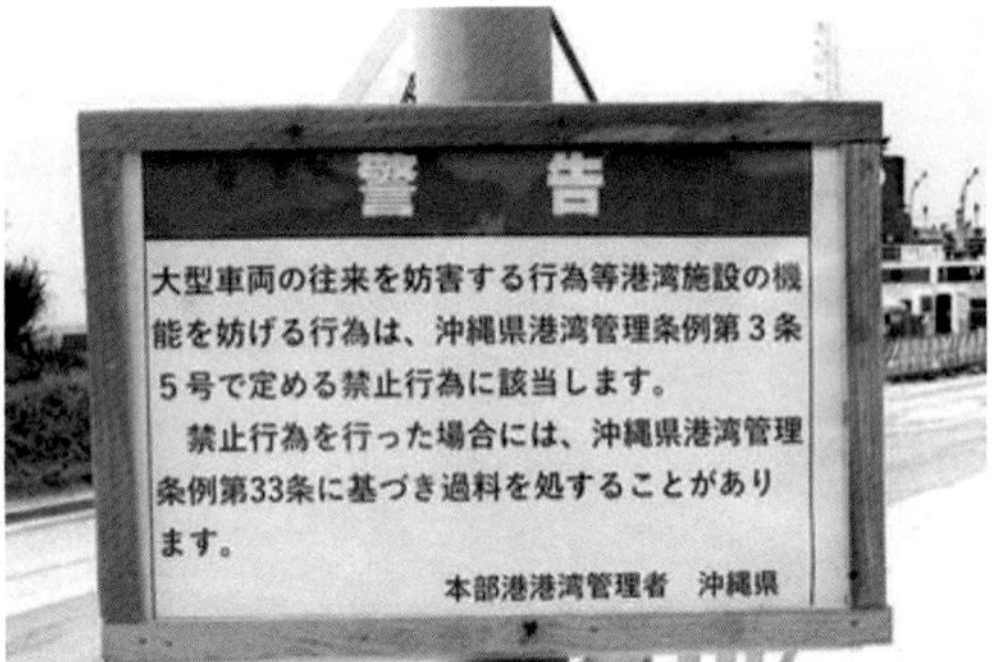
警　告
大型車両の往来を妨害する行為等港湾施設の機能を妨げる行為は、沖縄県港湾管理条例第３条５号で定める禁止行為に該当します。
禁止行為を行った場合には、沖縄県港湾管理条例第33条に基づき過料を処することがあります。
本部港港湾管理者　沖縄県

県も反対派も辺野古基地建設の阻止はすでにあきらめている。あきらめている両者の看板撤去についての話し合いであった。反対派は目立つ看板は撤去しろという要求であった。県は反対派の要求を聞き入れ、警告の看板は撤去して、以前か

らあった2ヵ所の小さな目立たない看板に戻しますことを約束した。このことが反対派にとっては大勝利であるのだ。基地建設反対運動は基地建設に反対しない運動になっている。

キャンプ＝シュワブの辺野古基地建設反対運動はひろゆき氏が座り込み日数を書いた看板を写真に**撮りこの写真を掲載し、「座り込み抗議が誰も居なかったので、0日にした方がよくない?」とツイートをした。ひろゆき氏のツイートで辺野古での座り込みの看板は嘘であると一気に全国で有名になった。**

高須院長も、「誰もいないので座りこみしてあげたぜなう」とツイートした。辺野古基地反対運動が本土の有名人にもてあそばれている状態である。

キャンプ・シュワブも本部塩川港も辺野古基地建設反対運動も反対のポーズをするだけである。

6月2日

デニー知事は辺野古「新基地建設反対」の敗北宣言をした

辺野古移設反対運動は衰退してどん底状態である中で、玉城デニー知事は知事に就任して初めて辺野古に行った。そして、辺野古、豊原、久志の3区の区長と初めて会談をした。知事に就任して4年以上になるのにデニー知事は辺野古地区の区長と一度も話し合いをしなかった。話し合いをしなかったのはデニー知事は辺野古移設に反対であるのに辺野古3.区は移設に賛成であった。辺野古移設で賛成・反対と主張が違うからデニー知事は辺野古に行くのを避けたのである。辺野古の3区長と話し合えば知事が主張し続けている「県民は辺野古新基地建設に反対」を言えなくなるからだ。

辺野古3.区長と会談する時に県は言葉の訂正をした。「辺野古新基地建設」を「普天間飛行場代替施設建設事業」に訂正した。県は新しい基地ではなく普天間飛行場の代替であることを正式に認めたのである。デニー知事はずっと新基地建設をと言ってきた。県知事選の時も「辺野古新基地建設反対」と言ってきた。そして、知事選に勝利した時は「県民は辺野古新基地建設に反対である」を公言した。

「新基地建設」がデニー知事、県の定番である。辺野古3地区の区長と会談する時も辺野古新基地というはずである。しかし、奇妙なことが起こった。新基地というはずのデニー知事、県は新基地と言わなかった。代替施設基地と言ったのである。

新基地と代替施設基地は意味が違う。新基地は沖縄に新しい米軍基地ができるということである。代替施設基地は普天間飛行場の代替であるから米軍基地は増えない。辺野古基地建設に反対する人を増やす狙いがあって新基地反対と言い続けたのである。

新基地は嘘である。辺野古新基地は普天間飛行場の移設のためであるから移設基地である。現地の辺野古地区は移設基地であることを辺野古基地建設が決まった時から知っている。しかし、辺野古から離れて生活している県民の中には移設基地であることを知らない人々が居る。その人たちを辺野古基地建設反対に巻き込むために辺野古移設反対派は新基地建設を吹聴したのである。新基地という嘘を多くの県民が信じた。だから県民投票で辺野古移設反対票が70%を超した。しかし、埋め立てが始まり、年月が経過するに従い、新基地建設ではなく、普天間飛行場の移設基地であることを多くの県民が知るようになった。だから、への基地建設反対の県民は激減している。辺野古基地建設反対運動は大きく後退しているのが現実である。反対運動が衰退している状況でデニー知事は辺野古3区長と対談をした。

新基地建設と言えば、普天間飛行場の移設であるという認識が強い辺野古地区の3区長が反発するのは確実であり、論争すれば3区長が主張する「普天間飛行場の移設基地」をデニー知事は認めざるを得なくなる。だから、県、デニー知事は代替施設基地と述べたのである。対談は基地被害を縮小すること、辺野古3地区のインフラ整備など、辺野古基地建設を前提とした対談になったようである。

「普天間飛行場の代替施設基地建設」はデニー知事の新基地兼淺津反対の敗北宣言である。デニー知事は辺野古地区3区長に敗北宣言をしたのである。

これからのデニー知事が辺野古新基地について「新基地」というか「移設基地」というか注目しよう。

8月11日

なんと　デニー知事が普天間飛行場固定化を主張

沖縄県宜野湾市の普天間飛行場に隣接している沖縄国際大学に米軍の大型輸送ヘリが墜落した事故から19年になる。玉城デニー知事はヘリ墜落の後にも、2017年には宜野湾市の普天間第二小学校にヘリの窓枠が落下した事故があったことや2021年には住宅街に金属製の水筒がオスプレイから落ちた事故が起きたことにも触れて「世界一危険な基地の現状は未だ改善されてない」と指摘したあとに「普天間飛行場の一日も早い危険性の除去は喫緊の課題」だと訴えた。

普天間飛行場が世界一危険であると強調したデニー知事は普天間飛行場の撤去を主張しなかった。危険性の除去を主張したのみであった。デニー知事は普天間飛行場の撤去を主張していない。いや、することができないと言った方が正確かもしれない。普天間飛行場の撤去を主張できないのは普天間飛行場の辺野古移設に反対しているからだ。辺野古移設に反対していることが普天間飛行場撤去を主張できなくしている。

普天間基地の移設は、1995年の沖縄米兵による少女暴行事件がきっかけだった。

事件の概要

1995年（平成7年）9月4日午後8時ごろ、沖縄県国頭郡金武町のキャンプ・ハンセンに勤務するアメリカ海軍水兵マーカス・ギル(22)、ロドリコ・ハープアメリカ海兵隊一等兵（21）、ケンドリック・リディット海兵隊一等兵(20)の3.名が基地内で借りたレンタカーで、沖縄本島北部の商店街で買い物をしていた女子小学生(12)を拉致した。小学生は粘着テープで顔を覆われ、手足を縛られた上で車に押し込まれた、その後近くの海岸に連れて行かれた小学生は強姦され、負傷した。

実行犯は当初4人だったが、内1人は少女があまりにも幼かったことで強姦に加わらなかった。実行犯の3.人は人種的に黒人であったため、「この逮捕は人種差別だ」と繰り返しマスコミに主張していたが、その主張は取り上げられず、処分が行われた。

沖縄県警察は、数々の証拠から海兵隊員の事件への関与は明らかであるとして、同年9月7日に逮捕状の発付を請求した。しかし、日米地位協定によれば、被疑者がアメリカ兵の場合、その身柄がアメリカ側の手中にあるとき、起訴されるまでは、アメリカが被疑者の拘禁を引き続き行うこととされていた。したがって、たとえ逮捕状が発付されても、日本側捜査当局は起訴前には逮捕状を執行できず、被疑者の身柄を拘束して取調べるという実効的な捜査手段を採ることもできなかった。

このような米兵の特権的な取り扱いによって、事件の捜査に支障をきたしていたことから、沖縄県民の間でくすぶっていた反基地感情が遂に爆発し、沖縄県議会、沖縄市議会、宜野湾市議会をはじめ、沖縄県内の自治体において、アメリカ軍への抗議決議が相次いで採択された。同年10月21日には、宜野湾市で、事件に抗議する県民総決起大会が行われ、大田昌秀沖縄県知事をはじめとする約8万5千人（主催者発表）もの県民が参加した。本土復帰後、最大規模の抗議大会になり、メディアで大きく報じられた。これらの動きは、沖縄に集中する米軍基地の整理・縮小や、日米地位協定の見直しを求める訴えが高まるきっかけとなり、沖縄県知事も政府に対して強くその実行を迫った。

反対運動に危機感を持った自民党政府は普天間飛行場の撤去をして米軍基地反対運動を鎮めようとした。海兵隊の普天間飛行場を移設するのは非常に困難である。地方自治法では普天間飛行場の移設を自治体が同意しなければ移設できない。日本国内で海兵隊の軍事飛行場を受け入れる自治体は一つもなかった。政府は移設先を探すことができなかった。移設先を見つけることができない状態の時に沖縄国際大学に米軍ヘリが墜落したのである。

政府は普天間飛行場の移設に今まで以上に取り組んだ。移設は難航し続けた。政府は名護市辺野古のキャンプ・シュワブの海岸を埋め立てて移設することを島袋護市長、仲井真県知事の了解を得ることに成功した。1996年の日米合意から17年後の2017年である。17年もかかったのは全国で普天間飛行場の移設を受け入れる市町村はなかったからである。米軍基地であるキャンプ・シュワブの沿岸であり、離着陸の時に住宅の上を飛行しないV字型滑走路にすることで県知事、名護市長の合意を得ることができた。

埋め立て工事が始まった。すると普天間飛行場撤去運動よりも勝るとも劣らない辺野古移設反対運動が起こった。反対運動は県民投票を実現した。県民投票の結果は移設反対が70％以上であった。県民投票をやった時の県知事が玉城デニー氏である。デニー知事が移設反対の代表者になったのである。デニー知事は全身全霊で辺野古移設を阻止すると県民に誓った。県民投票から2年後にデニー知事は「辺野古新基地建設阻止の決意を新たに、民意に応えて民主主義と地方自治を守るため「全身全霊で取り組む」と表明している。

辺野古移設反対の理由は大浦湾が汚染されてジュゴン、魚、サンゴが棲めなくなることだった。しかし、それは嘘であった。嘘であることを書いたのが「捻じ曲げられた辺野古移設の真実」である。

反対派の嘘は埋め立てが進むにつれてばれていった。移設に反対する理由がなくなったのである。それでも、移設反対を主張しているのがデニー知事であり、左翼である。

辺野古移設を全身全霊で阻止しなければならないデニー知事は普天間飛行場の撤去を主張することができなくなった。

普天間飛行場は県外に移設できない。国外も困難である。辺野古以外に移設する場所はない。普天間飛行場の撤去を主張すれば辺野古移設に賛成せざるを得なくなる。辺野古移設反対に固執するためには普天間飛行場撤去を主張するわけにはいかない。だから、デニー知事は撤去を主張しないで「危険性の除去」を主張するのである。

撤去を主張しないで「危険性の除去」を訴えるということは普天間飛行場の固定を認めるということである。

普天間飛行場撤去が目的であったのに辺野古移設反対が原因で撤去を主張できないのがデニー知事である。辺野古移設させないために普天間飛行場の撤去を主張しない。こんな矛盾を抱えているのがデニー知事である。デニー知事だけではない。辺野古移設反対運動をやった全ての左翼が抱えている矛盾である。矛盾を抱えている左翼は普天間飛行場撤去を言わなくなっている。

デニー知事、左翼は普天間飛行場の固定を主張しているのに等しい。

辺野古移設反対運動は終焉したと言える。あきらめと愚痴の世界になりつつある。

短編小説1

天国のない話

「家出をする気じゃやな。」

後ろの方から声がした。国道五十八号線は自動車が激しく行き交っている。自動車のエンジン音に紛れて、後ろの方から声がした。老人の声だ。宏は反射的に振り返った。しかし、後ろには人の姿はなかった。老人の声がしたような気がした。でも、自動車のエンジン音や走る音に混ざっていて老人の声がはっきりと聞こえたわけではない。もしかするとエンジンかタイヤが地面をこする音や風を切る音が入り混じって老人の声のように聞こえたかもしれない。発音もはっきりしていなかった。空耳だったかもしれない。

暫く回りを見て老人の姿を探した。老人の姿どころか人間の姿はひとつもなかった。宏は再び国道五十八号線沿いを歩きはじめた。暫く歩いていると国道五十八号線を行き交う車のエンジン音に紛れて老人の声がした。声は小さくエンジン音に消されたためにはっきりしなかった。さっき老人の声がした時に振り返ったが国道五十八号線の歩道には誰も見えなかった。今度の声も空耳に違いない。そう思ったから、宏は老人の声らしいのが聞こえたけれど振り返らなかった。

暫く歩いているとまたもや老人の声がした。さっきよりはっきり聞こえる声だ。老人の声は「家出をする気じゃやな。」と言った。声で老人の声のような気がするというより、「じゃやな」という言葉だから老人の声のように思うかもしれない。

声はふくみ笑いをしているようでなんとなく宏をからかっているような感じがする。老人の声は聞いたことのない声だ。玉城村に住んでいるおじいさんの声とも違わない。隣に住んでいる儀間のおじいさんの声でもない。玉城村のおじいさんや儀間のおじいさんが五十八号線を歩いている宏の後ろに立っていたらそれはそれで摩訶不思議なことであるしぞっとする。でも、「家出をする気じゃやな。」と言った声は玉城村のおじいさんの声でもなければ儀間のおじいさんの声でもなかった。聞いたことのないおじいさんが、「家出をする気じゃやな。」と言った。宏はその声の内容にどきっとした。どきっとしたから、最初におじいさんの声が聞こえた時はすぐに後ろを振り向いて声の主を見ようとしたのだ。しかし、声の主を見つけることはできなかった。そら耳だったのだろうと宏は思った。だから二回目の声が聞こえた時には、空耳だろうと思って振り向くことをしなかった。ところが老人の声が再び聞こえたのである。空耳だったら繰り返して聞こえることはないだろう。でも、なぜ、「家出をする気じゃな。」と言ったのだろう。

土曜日の午前。父親は会社に出勤していた。母親もパートで家には居なかった。高校生の姉も友達と一緒に遊びに出かけていた。家には宏だけだった。家族が誰も居ない家の中にいるとだんだんと息が詰まってきた。

誰もいないので遠慮しないでテレビゲームができるのだがテレビゲームをやる気も起こらない。とにかく家にいることがいやになってきた。それで、家を出た。

家出をするとかしないとかを考えて家を出たのではない。ただ、家の中に居ると息苦しいものだから、行く目的の場所はないのだがとにかく家を出ただけのことである。近くの公園に行く気はなかったしゲームセンターに行く気もなかった。家の近くをぶらぶらと暇つぶししながら歩く方法もあったが、なんとなく家の近くをぶらぶらする気にもならなかった。映画を見る気にもなれないし、友だちに会いたいとも思わなかった。

「家出をするつもりじゃな。」と言われてどきったしたのは一瞬心の中を覗かれた気がしたからだ。家出をするというはっきりした意思はなかった。でも「家出をするつもりじゃな。」という声にどきっとしたのは、「家出をするつもりじゃな。」と言われた瞬間に宏は自分の心の底に家出をしようとしている意思があるように感じたからだ。家出をするつもりで家を出たのではない。しかし、家にいることが苦しいから家を出た。家にいることが苦しくなった原因は姉と喧嘩したからである。喧嘩を見ていたお母さんは犬も食わないいつもの姉弟の喧嘩と思っただろう。喧嘩相手だった姉もお母さんと同じように見たかも知れない。しかし、宏にとってはいつもの喧嘩ではなかった。

宏にとっては根の深いものがあるし、もう、姉と顔を会わせたくないと思っている。それだけではない。お母さんとも顔を会わせたくない。姉への憎しみは広がり収縮しない。憎しみの広がりはお母さんにまで広がり、お母さんも憎くなってきた。お母さんや姉が家に帰ってくると思うと、宏は家に居ることができなくなったのだ。だから、家を出た。昨日の夜、宏は姉と喧嘩をした。喧嘩を仕掛けたのは宏の方だった。だからどちらが悪いかと言えば宏の方が悪いということになる。姉が特別に宏を怒らすようなことを言ったわけでもないのに、突然宏は怒り出し姉を一方的に罵倒したのだ。だから一方的に喧嘩を仕掛けた宏の方が悪いに決まっている。しかし、宏は姉に謝るとか母に弁解するとかは絶対にやりたくなかった。

喧嘩の理由も話したくなかった。理由を話したら自分が惨めな思いをするし、苛々してくるだろう。姉はきっとなぜあんなに怒ったのが理由を聞くだろう。でも宏は絶対に理由を話したくない。もし話したら、姉は、「なあんだ。そんなことで怒ったの。」と言って笑うだろう。そしてお母さんに話して、お母さんも宏に呆れたといって笑うだろう。だから、宏は母とも姉とも顔を会わせたくなかった。だから、母と姉が帰ってくる前に家を出た。母や姉と顔を合わせるのが嫌で家を出たのだからどこかへ行くという目的もない。

宏は家を出ると団地の側のゆるやかな坂を下っていき、公園に曲がる道をまっすぐ歩き、色々な店を通り過ぎて行った。すると久しぶりに国道五十八号線に出た。国道五十八号線は歩いて三十分近くかかる。学校は国道五十八号線とは逆の場所にあるし、公園やゲームセンターも別の場所にあるから歩いて国道五十八号線まで来ることは滅多にない。宏は家に戻る気はなかった。宏は目的もなくもっと歩きたかった。とにかく歩き続けたかった。国道五十八号線に出ると、右に曲がるか左に曲がるか迷った。左に曲がると南の方に進み那覇の方に行くことになる。城間から安謝を通り天久のゆるやかな坂を下れば泊十字路に着く。那覇に近づくにつれて国道五十八号線の車や建物は増え、賑やかになっていく。右に曲がれば北の方に進み、宜野湾に向かう。宜野湾を過ぎてどんどん歩いていくと建物は減り、嘉手納を過ぎて比謝橋を過ぎると読谷村に入り緑の木々が増え、東側に山が見え、恩納村まで行くと国道五十八号線の側に砂浜が見える。恩納村はかなり遠いし、歩いていけるかどうか見当がつかない。しかし、宏は那覇のように人が多い場所よりも人間の居ない、静かな場所に行きたかった。南より北の方が人間は少なくなる。恩納村まで行きたいとかは思わないが南より北の方が人間の数は少なくなるから宏は国道五十八号線を右に曲がって北の方に歩いた。

国道五十八号線は車が絶え間なく行き交っている。車道は車の絶え間がないが逆に歩道を歩いている人間はほとんどいない。

宏はなにも考えないで国道五十八号線を歩き続けた。歩き続けて美浜に来た時、車の騒音に混じって老人の声が聞こえた。言葉がはっきりと聞こえたのではないが宏には、「家出をする気じゃやな。」と言っているように聞こえた。宏は家出をしたつもりではなかった。しかし、「家出をする気じゃやな。」と言われた瞬間に宏は自分が家出をしようとしていることに気付いた。宏は心の中を見抜いた言葉に驚いた。宏は家出をすることを誰にも話していない。だから、宏が家出をしていることは誰ひとりとして知っているはずはない。宏は後ろを振り返るのが怖かった。宏は声が聞こえていないふりをして歩き続けた。宏は声の主を見るために振り返りたい気持ちがあったが、声の主は老人の声を真似ている姉かも知れない。もしかすると、学校で宏をいじめている生徒が老人の声音で宏をからかおうとしているかもしれない。そういう推測があったから宏は振り返る勇気がなかった。

宏は国道五十八号線号線を北の方に歩き続けた。徒歩で国道五十八号線沿いを歩くのは初めてだった。歩いてはじめて想像していた以上に距離が長いことに気がついた。宏の家から美浜まで車で十分くらいしかからない。だから宏には美浜は近い場所であるという感覚があった。ところが歩いて行くと一時間近くも掛かるのだ。家からかなり遠い所に美浜はある。こんなに美浜が遠い所にあるとは宏は思わなかった。車と歩きの速さの差ではあるが、宏が驚いたのは車が速いというより、近いと思っていた場所が意外に遠い所にあるということだった。

歩いても歩いても国道五十八号線は果てしなく続いている。トラックやバスや軽貨物車に自家用車がひっきりなしに宏の側を行き交った。

「家出をする気じゃやな。」

車の騒音に紛れて再び老人の声が背後から聞こえた。今度の声ははっきりしていた。空耳とは思えないほどにはっきりとした声だった。でも、さっきは振り返っても老人は居なかった。今度も声の主は居ないかもしれない。宏は振り返りたい気持ちを押さえた。暫く歩いていると、「家出をする気じゃやな。」という声が聞こえた。宏は立ち止まった。そして、もう一度声がしたら振り返る決心をした。ところが宏が立ち止まって耳に神経を集中させて老人の声を待っていたが、老人の声は聞こえなかった。宏は振り返った。宏が立っている歩道の通りには人の姿はなかった。ひっきりなしに車が国道五十八号線を走っている。国道五十八号線から左に曲がって美浜に入っていく車、美浜から国道五十八号線に出てくる車。

百メートル離れた所でタクシーが止まり赤い服の女が降りたのが見えた。

宏は歩き出した。歩いて暫くするとやはり老人の、「家出をする気じゃやな。」という声が国道五十八号線の車などの雑音に混じって聞こえてきた。老人の声に苛立っていた宏は声がするや否や振り返った。勇気を出して、声の主を見るために振り返ったのだ。振り返って目に入ったのは走ってくるオートバイであった。オートバイはバラバラバラと排気音を発しながら宏の側を通り過ぎて行った。車道は次から次へと車が走っている。しかし、歩道には声の主である老人の姿も他の人の姿もなかった。

宏の目には数百メートル先まで歩道が見えたが、歩道を歩いている人の姿はなかった。「家出をする気じゃやな。」という老人の声は確かに聞こえた。しかし、声の主は見当たらない。宏は老人の声が本当に聞こえたのかどうかわからなくなった。「家出をする気じゃやな。」という老人の声は国道五十八号線を激しく行き交う車の騒音に紛れて聞こえた。ひょっとすると幻聴だったのかもしれない。宏は回りを見て、誰もいないことを確認してから、再び北に向かって歩き出した。

歩いていると老人が後ろから着いて来ているような気味悪さがつきまとった。気味悪さに耐えられなくなった時に宏は後ろを振り向いた。しかし、誰も居なかった。

宏は歩き続けた。姉の静江が宏を「チビ」と呼んだことが昨日の夜の喧嘩の原因だった。姉が一回目に「チビ」と呼んだことには我慢することができた。二回目に「チビ、その雑誌を取ってくれない。」と言われた時、宏は「チビ」と言われたことにむかついた。むかついたので雑誌を取ると姉の方に放り投げた。そして、何事もなかったかのようにテレビを見た。静江は、「おお、こわ。」と言って笑った。姉の静江は二十歳で中学二年生の宏より六歳年上だった。姉は宏が生まれた時から宏をチビと呼んでいた。宏は「チビ」と呼ばれるのに慣れていたし、姉がチビと呼ぶのに今まではなんの抵抗も感じなかったが、最近はチビと言われるのがバカにされているような気持ちになってチビと呼ばれるのは嫌だった。最近の宏は「チビ」と平気で呼ぶ静江にむかつくようになっていた。

三度目に「チビ」と言われた時、宏は怒り、姉と喧嘩になった。喧嘩といっても宏が一方的に姉に売った喧嘩であり、姉は宏がなぜ怒っているのか理由が分からないで、「チビ。どうしたの。熱でもあるの。」といって宏の相手をしなかった。宏が怒鳴り続けるものだから、母は「うるさい。静かにしなさい。」といって宏を叱った。宏はたまらなくなり二階の部屋に行った。

宏は歩き続けた。するとまたもや「家出をする気じゃな。」という老人の声が聞こえてきた。振り返ったら声の主がいない。宏は「家出をする気じゃな。」という老人の声に苛立った。宏は立ち止まった。老人の声がした瞬間に振り返るつもりだ。暫く立っていたが老人の声は聞こえなかった。宏が老人の声がするのをあきらめて歩き出そうとした瞬間に、「家出をする気じゃな。」という老人の声がした。宏は素早く振り返った。振り返って宏は驚いた。老人の代わりにのら犬が立っていて宏を見ているのだ。宏は思わず後ずさりした。犬が老人の声で、「家出をする気じゃな。」と言ったのだろうか。老人の声で話すのら犬であると宏は思った。宏はのら犬を凝視した。黒と茶の混ざった毛ののら犬は痩せていていてうらめしそうに宏を見ていた。のら犬はおちつかない動きをして、宏から目を反らすと路地に入り去って行った。のら犬が去って行ったので宏の緊張は解けた。

あののら犬が老人の声を出していたのだろうか。簡単に信じるわけではないが、振り返ったらのら犬だけがいたのだしのら犬以外に老人の声を出した者はいない。やはりのら犬が老人の声で、「家出をする気じゃな。」と言った可能性は高い。でも、犬が人間の声を出すというのも変である。宏は路地の方を見た。のら犬はよろよろと歩きながらずっと向こうの方へ遠ざかっていた。百メートル先で角を曲がりのら犬は見えなくなった。宏はしばらくの間のら犬が曲がった角の方を見ていた。のら犬が再び姿を現すかもしれないと思っていたがのら犬は姿を現さなかった。

のら犬が老人の声を出したのだろうか。犬が人間の言葉を話すなんて童話かマンガの世界だ。しかし、「家出をする気じゃな。」という老人の声がしたときに振り返ったらのら犬が宏を見ながら立っていた。やはりのら犬が「家出をする気じゃな。」と言った可能性は高い。宏は歩きながら自問自答した。のら犬が老人の声で話したということは半信半疑ではあるが、あり得ないことではない。宏はのら犬が去って行ったので老人の声はこれからは聞こえないかも知れないと思った。しかし、暫く歩いていると例の老人の声が聞こえた。「家出をする気じゃな。」

宏は驚いて振り返った。宏の後ろには誰も居なかった。いや、居た。百メートル離れた場所にあののら犬が立って宏を見ていた。老人の声は数メートル離れた場所から聞こえた。百メートルも離れている場所からの声ではなかった。のら犬の声ではないのかも知れないと宏は思ったがのら犬以外には誰も居なかった。宏は頭が混乱した。そして、宏の頭を混乱させているのら犬に怒りが込み上げてきた。宏は石を拾ってのら犬に投げた。しかし、百メートルも離れているのでのら犬のいる場所までは届かなかった。のら犬も宏の投げた石が自分のいる場所までは届かないことを知っているのか悠然としていた。頭にきた宏は石を拾うとのら犬の方に近づいていった。数十メートルまで近づいてから石を投げた。鈍感なのら犬は宏の投げた石が側に落ちても自分を狙って投げた石とも知らないで石の落ちた音にちょっとだけたじろいだけだった。宏は石を数個拾い、のら犬に投げた。のら犬はやっと宏が自分を狙って石を投げていることに気付いた。のら犬は向きを変えてゆっくりと遠ざかった、その時宏の投げた石が歩道にバウンドしてからのら犬の尻に当たった。驚いたのら犬は一目散に逃げて行った。

宏は人や車が通らない自然に囲まれた場所に行きたかった。しかし、進んでも進んでも家は途絶えることはない。歩道を歩く人は居ないが車はひっきりなしに通っているし、道路沿いには店や家が絶えることはなかった。宏は国道五十八号線をなにも考えないでとにかく歩き続けた。国道五十八号線を北の方に歩き続ければ必ず人気のない海岸に辿り着くのを宏は知っている。家族で「美ら海水族館」に行ったことがあるし、お父さんに連れられて辺土岬に行ったこともある。宏は宜野湾市に住んでいるが、美ら海水族館や辺土岬までの国道五十八号線沿いには人家のない、人気もない海岸がいくつもあった。宏はその海岸に行こうと思って家を出た。

もう、聞こえないかも知れないと思っていた老人の、「家出をする気じゃな。」という声が聞こえた。宏はぞくっとして振り向いた。宏の後ろには誰もいなかった。遠くまでみたがのら犬の姿も見えなかった。周囲を見渡し、天も見上げた。でも、誰も居なかった。声を出す者がいないということは老人の声は空耳であるとしか考えられない。幻聴か、と宏は心が重たくなった。幻聴が聞こえるということは宏の頭がおかしくなった証拠ということになる。いや、僕の頭がおかしくなっているとは思わない・・・。しつこい老人の声で、「家出をする気じゃやな。」という空耳はなぜ何度も聞こえたのか、宏は考えた。考えても原因は分からない。宏は立ち止まって後ろを振り返った。随分と家から遠く離れた所に来ている。家がある場所は見えなくなっていた。こんなに遠くまで来たし、家から遠く離れた所まで来たので心細い気持ちはあるが、家に戻りたいという気持ちはなかった。母と姉が家にいると思うと家の中が息苦しくなるからもう家に入れないと宏は思う。家に入れないということは家に帰れないということである。そんな風に考えると老人の声で、「家出をする気じゃやな。」というのが宏の心を言い当てているのかも知れない。宏は家出をするつもりで家を出たのではない。でも、家に帰れないと宏は考えているのだから、老人の言う通りやはり家出をするつもりで北に向かって歩いているのかもしれない。老人の声はひょっとして自分の声なのかもしれない。

宏は歩き続けた。しかし、車で行くのと徒歩で行くのとでは進む距離が全然違う。歩いても歩いても宏が目指している家のない場所に着くことはなかった。道路沿いはガソリンスタンド、家具店、書店等々、店が延々と続き、自動車販売店、コンビニエンスストア、釣具店、書店等々、店が延々と続いていた。美浜は海に近いが美浜は人が多いから美浜の海岸には行きたくなかった。美浜を過ぎ、砂辺からカデナ飛行場の側を通っている時は海が見えた。しかし、嘉手納から読谷に入ると海が見えなくなった。海から随分遠い所を歩いている。しかし、宏に不安はなかった。このまま北に向かって歩き続けていれば恩納村に出る。恩納村の国道五十八号線は海の側を通っている。だからこのまま歩いて行けばいつかは海岸の側を通ることを宏は知っている。

宏は五十八号線を北に歩き続けた。歩いても歩いても色々な店は並び続け、建物が途切れることはなかった。読谷村は左側は家や店が並んでいるが右側は家が一件も見えない畑だけの地帯であった。不思議な通りであったが、読谷村を過ぎると家が途切れて山の中を国道五十八号線は通っていた。宏は建物のない、人気のない海岸に行くのが目的である。宏は歩き続けた。山に挟まれた五十八号線は長い下り坂になった。歩道には椰子の木やイッペーの木が植わっている。高くそびえているもくもうの木や松の木や広葉樹が空を覆い、歩道は薄暗い。坂を下っているとやがて空が開けてきた。人家やガソリンスタンドが見え、緩やかなカーブを過ぎると観光ホテルの後ろに海が見えてきた。そこは恩納村であった。

家を出た宏は国道五十八号線を北の方に歩き続けた。大山、伊佐、ズケラン、美浜、砂辺、カデナ飛行場、水釜、嘉手納、比謝橋、大湾、比謝、伊良皆、喜納、多幸山と歩き続けた。そして、長い下り坂を下ると宏の目の前にやっと国道五十八号線沿いに広がる海が見えたのだ。宏は坂を下り、ホテルを通り過ぎると、やがて、眼前に砂浜が見えてきた。宜野湾市の家から延々と歩き続けてやっとのことで砂浜にたどりついたが、たどりついてみるとあっという間にたどりついたような気もした。砂浜の側に来ると、宏は国道五十八号線の歩道から飛び出して砂浜に出た。そして、砂浜をゆっくりと歩いた。砂浜は数百メートルあり、波がざざーと静かに浜に打ち寄せる。砂浜の端に辿り着いた宏は大きく深呼吸をして、砂浜に座った。

宏はぼんやりと水平線を見つめた。茜色の太陽が水平線に沈もうとしている。砂は茜色に染まっている。宏は砂の上に寝そべり空を見た。入道雲が茜色に染まってじっとしている。

荘厳な自然に宏は、しかし感動はしない。宏の心は美しさや荘厳さに感動するような気持ちを失っていた。ただ、淋しくて悲しいだけだ。なんだか空しい。姉と喧嘩したことを後悔している。チビと言った姉の静江は悪くない。生まれた時から静江は宏をチビと呼んだ。だから、静江がチビと呼ぶのは宏をバカにしていない。ずっと姉にチビと言われてきたのに、昨日はなぜかチビと呼ばれたことにとても腹が立った。だから、チビと呼んだ姉にありったけの悪口を言って姉をののしった。ののしっている内にののしっている自分が惨めになり、いたたまれなくなって宏は部屋に閉じこもった。

宏は体が小さい。だから、小学校の時もクラスメートからチビと呼ばれた。クラスメートの中には宏をチビと言ってからかう生徒もいたが宏はチビと呼ばれても平気だった。ところが中学二年生になって理由ははっきりしないがチビと呼ばれることに宏のプライドが傷つくようになった。

空を見ながら宏の目から涙が流れてきた。昨日の夜、姉と喧嘩したことを思い出すと悲しくなる。年の離れた姉にかわいがられた宏だった。両親とも働いていた宏の家では姉が宏の面倒をみた。姉は宏をチビと呼び、宏は姉を「ねえねえ」と言って仲のいい姉弟だった。自分を可愛がってくれた姉と喧嘩したことは宏の心を悲しくさせた。姉はずっと宏をチビと呼んだしそれは宏の代名詞のようなものだった。姉がチビと呼ぶのになんの問題もないのに宏は昨日の夜突然怒ったのだ。宏は怒った自分が悪いと思う。でも、もう姉がチビと呼ぶのがとても嫌である。宏の心が理由もなく嫌なのだ。それは姉を遠ざけてしまうことになる。宏は姉を嫌い姉を罵倒した自分がいやになる。でもどうしようもない。

小学生の時はなんとも思わなかった「チビ」という呼称。小学校の時は「チビ」とからかわれても平気だった。「チビ。」と呼ばれたら「はーい。」と平気で言ったのに、なぜ中学生になったら「チビ」と呼ばれるのに平気ではなくなったのだろう。小学校の時には「チビ」と呼ばれても平気だったのに、今は「チビ」という言葉の裏に毒があるように感じる。体が小さくて「チビ」なのだから「チビ」と呼ばれても仕方がない。それは「小さい」という意味だけに使えばなんの問題もない。小学校の時は「チビ」は体が小さいという意味だけであった。小さいことをからかわれるのはおもしろくないけど、それは事実なのだから、くやしい気持ちはあるけどそんな風にからかわれるのは仕方がないと思っていた。

しかし中学になると「チビ」の意味が小さいという意味だけではなくなった。「チビ」は劣等な人間という意味にも使われるようになった。生きる価値がないとか頭が悪いとか人間として失格であるとかという意味も加わっていき「チビ」の意味が拡大していった。宏は走りは遅い。力がないし鉄棒も苦手だ。でも、テストは普通以上の成績だ。人間として劣等ではない。それなのに劣等だと言う。頭は悪くないのに「チビ」だから頭が悪いに決まっていると思われるのは納得できない。

雄治くんは体は小さいが鉄棒が得意だ。チビでも早い人間はいるし運動の得意な人間はいる。チビだから頭が悪いとか運動オンチであるとか人間として劣等であると決め付けるのは間違っている。でも、人間として劣っているとバカにする。「うざい」と言われる。なぜ「チビ」が「うざい」のか理解できない。体が小さいだけで「うざい」と言われるのはおかしい。「チビ」だからパシリをやらされる。なぜ、チビだからパシリをやらされるのか、それはおかしい。おかしいから「ぱしり」はやらなかった。それで生意気な奴だと教室の裏に連れて行かれて殴られた。

なぜ、体が小さいと「パシリ」をしないといけないのか分からない。「チビ、チビ。」とあざ笑う人間の気持ちが分からない。なぜ「うざい」と言われなければならないのか分からない。うざいのはあいつらの方だ。宏はあいつらと関わるのを避けている。しかし、あいつらの方からやってきて宏に「チビ」だの「うざい」だの「死ね」などと言う。宏にとってはあいつらの方がうざい。あいつらとは顔を合わせたくないし、話もやりたくない。

最近は「チビ」という言葉に過敏になってきた。何度も繰り返して「チビ」であるために、運動オンチだの頭が悪いだの劣等生のレッテルを貼られて、「うざい」と言われ「死ね」とからかわれている内に「チビ」という言葉が人間として劣っていることの代名詞になり、「うざい」「死ね」と言われているように感じ、「チビ」と呼ばれると心を硬直させ、体を震えさせるようになった。「チビ」は小さいという意味だけではなく毒を含んだ言葉になった。最近の宏は「チビ」と言われる度に毒を吹きかけられているように感じてしまう。

六歳上の姉の静江は小さい時から宏を「チビ」と呼んでいた。姉の「チビ」は宏の愛称であり、親しみが込められた呼称である。姉にいじめの気持ちは全然ない。宏もそれは知っている。しかし、最近の宏は姉に「チビ」と言われることにも心がチクチク刺されるようになってきた。とうとう、昨日の夜は姉が「チビ」と言ったことに宏は反発して姉を罵倒して喧嘩になった。

昨日の夜の宏は姉に謝ることができないほどのひどい悪口を言った。姉にあれだけの悪口を言った宏は姉の顔を見ることが辛かった。今朝は姉の顔を見ることができなかったから、朝食のときは部屋に閉じこもって姉が「チビ。ご飯よ。」と呼んでも部屋から出て行かなかった。母と姉が家から出て行くのを見たので宏は部屋から出てきた。誰もいない家の中でひとりで居る宏は次第に家に居ることがきつくなった。家に居ると息苦しくなった。家に居るのが苦しいので家を出た。

中学になり、陰湿ないじめに宏の心は病んでいった。学校生活が味気ないものになっていった。中学生になった頃は制服を着るようになり、英語という新しい教科が増えてわくわくしていた。しかし、一年が過ぎ二年生になる頃には、宏の学校生活は苦しいだけでなにもかもが空しく感じられた。学校生活の苦しさから逃れたいが学校を休むことはできないので苦しさから逃れることはできない。苦しさは家に居ても感じるようになり家が安息の場所ではなくなった。宏が苦しさや空しさから脱出する唯一の方法は家を出て誰も知らない場所で一人で生きることだ。だから家を出た。得体のしれない老人が「家出をする気じゃな。」と言ったのは当たっていたのだ。家から遠く離れた恩納村に来て、海辺に座って宏は自分が家出をしていることに気付いた。しかし、家出をしたけどこれからどうすればいいかわからない。とにかく、人間の居ない場所に行くことだ。人間の居ない所に行けばなんとかなる。宏はそう思った。今の宏にはそれしか自分の心が落ち着く方法はない。

家を出てから何時間が経過しただろう。午前十時頃に家を出た。そして、国道五十八号線を北の方に歩き続けた。日が暮れるまで歩き続けた。とても長い距離を歩き続けた。こんなに長い距離を歩いたのは生まれて初めてだ。朝から夕暮れまで歩き続けたけれど、不思議なことに宏には疲れはなかった。足は痛くないし喉も渇かない。あと百キロでも歩いていけそうなくらい体は全然疲れていなかった。なにか不思議な力が宏を疲れさせないような感じである。しかし、体は疲れていないが心は疲れているようだ。これ以上歩き続けることが空しい。誰もいない場所でじっとしていたい。いつまでもじっとしていたい。山奥の誰も行かないほら穴があり、そこでじっと座り続けることができたらいいなと宏は思う。でもそんな場所は沖縄にはないだろう。沖縄のように小さな島ならどんな山奥に住んでも必ず人に会ってしまう。沖縄には永遠に人に会うことのない場所はないだろう。

宏は恩納村に入って国道五十八号線沿いの海辺を見ながら歩いた。国道五十八号線沿いに人家がなくて浜には人の姿がない場所を探した。宏は国道五十八号線を歩き続けてやっと人家のない誰もいない浜辺を見つけた。宏は国道五十八号線からもくもうとすすきが植わっている野をかき分けて海辺に来た。宏は夕暮れの浜辺をゆっくりと歩き、波が打ち寄せているところまでくると砂浜に座った。ここなら誰も来ない。国道五十八号線を走る車の音もかすかになっている。誰も居ないし誰もやって来ないと思うと心が解放されて自由を感じる。心がマッサージされているように感じる。宏は静かな浜辺に座りぼんやりと水平線を見た。太陽が水平線の向こうに沈もうとしている。雲は茜色に染まり、海の波も茜色に染まり、砂浜も茜色に染まっている。茜色っぽい青の空と茜色の雲が頭上に広がり、茜色っぽい青の海面と茜色の波が眼前に広がっている。茜色に輝いている海岸の岩、石。豪華絢爛な自然の景色の中に宏は座っている。豪華賢覧な自然に囲まれていると、宏の心も華やかなで厳かになっていった。うじうじしていたことがばからしくなる。心がリッチになり、全てが満たされたような気分になる。まるで天国に来たような気分だ。家から遠く離れた所にいる心細さも忘れる。

宏は砂の上に寝そべり空を見た。入道雲が茜色に染まってじっとして動かない。素晴らしい茜色の雲を見ているとあの茜色の雲の上に天国があるような気がする。華やかで静かな世界。それが天国なのだろうか。荘厳な雲の上で死んだ人は心の苦しみから解放されて幸福な時間を過ごしているような気がする。すーっと雲の上に移動できたらどんなにいいだろう。雲の上で追いかけっこをしたりして遊んだらどんなに楽しいだろう。茜色の雲を見ながらそんなことを考えるだけでも宏の心は安らいだ。

このまま、時間が止まればいいなあと宏は思った。海辺は静かで気持ちが安らかになれる。誰もいない。話すのがおっくうになっている宏には最高な場所だ。山奥の誰もやって来ない場所とは違って、この浜辺には明日になれば人がやって来るだろう。しかし、今は誰もいない。誰もやって来ない。だから今の間だけは、ここは天国だ。この瞬間は天国だ。この状態が永遠につづく場所が天国なのだろう。宏は気持ちよくなってきてうとうとした。その時、突然老人の、

「天国なんてないんだよ。坊や。」

という声が聞こえてきた。宏が国道五十八号線を歩いていた時に「家出をする気じゃな。」と聞こえてきた老人の声と同じ声だった。「家出をする気じゃな。」という声が聞こえてきた時、宏は後ろを振り返ったが誰も居なかった。声は聞こえたが声を発した人間の姿はなかった。宏はその事実に途惑った。「天国なんてないんだよ。坊や。」という声は車のエンジン音や風を切る音に紛れて聞こえた。声を発した人間がいないとすれば、車のエンジン音やタイヤの音や車が風を切る音の混ざった音がその声の犯人と考えられる。見晴らしのいい国道五十八号線沿いで声はすれど姿は見えずの声であったから老人の声は空耳であるとしか考えられなかった。老人の声が空耳であったという証拠に、宏が嘉手納を過ぎて、車の往来が少なくなった読谷村の国道五十八号線を歩いている時は、「家出をする気じゃな。」という老人の声は聞こえなくなっていた。だから宏は、

「家出をする気じゃな。」という老人の声は車の往来が激しいのが原因となって聞こえてきた空耳であったから、車の往来が少なくなった恩納村では二度と聞こえてこないだろうと思っていた。そして、宏が予想した通り恩納村に入ってからは「天国なんてないんだよ。坊や。」という老人の声は一度も聞こえてこなかった。誰もいない海辺で茜色に染まった荘厳な自然に囲まれている宏は「家出をする気じゃな。」という老人の声の空耳のことはすっかり忘れていた。

ところが再び老人の声が聞こえた。今度は「家出をする気じゃな。」ではなくて「天国なんてないよ。坊や。」に変わっている。車のエンジン音も車が風を切る音もない静かな海辺で老人の声が聞こえたのに宏は驚いた。驚いたがどうせ今度の声も幻聴だろうと宏は思った。最初に「家出をする気じゃな。」という老人の声が突然聞こえた時は胸が潰れるほど驚いた。近所のおじいさんに見つかったと思った。宏はすぐに後ろを振り向いた。ところが宏の後ろには誰も居なかった。老人どころか人一人も居ない歩道を見て宏は狐につままれたような気持ちになった。立ち止まって回りを見回したが人の姿はなかった。反対側の歩道にも豆粒くらいに小さく見える人の姿はあったが声が届くような場所には人は居なかった。暫くしてなにかの音を聞き違えたのかも知れないと思い宏は再び国道五十八号線の歩道を歩きはじめた。

ところが、「家出をする気じゃな。」という老人の声はそれからも聞こえてきた。宏は「家出をする気じゃな。」という声が聞こえた時には何度も後ろを振り返った。しかし、老人の姿はなかった。車のエンジン音やタイヤや車の風を切る音などが混ざり、それがなんらかの作用を起こして、「家出をする気じゃな。」という老人の声に変化したのだと宏は思った。だから、静かな浜辺では空耳は聞こえるはずがない。

宏は目を開けて声のする方をみようとした。ところが目が開かなかった。寝そべっている体も起き上がろうとしない。宏は目を開ける気がない自分に気付いた。この天国にいるような幸せな気分を壊したくない。もう少しの間は今の幸せな気分に浸っていたいと思っている宏だった。静かな浜辺で聞こえた老人の、「天国なんてないんだよ坊や。」という声は空耳だろう。「家出をする気じゃな。」という声がした時に何度も後ろを振り返ったが老人の姿はなかった。だから、今度の「天国なんてないんだよ。坊や。」という声も空耳に違いない。

せっかく天国に居る気分になれたのだ。この気分をできるだけ持続したい。目を開こうとした宏だが目を開かないで天国にいる気分に浸った。すると、

「天国なんてないんだよ。坊や。」

という老人の声が聞こえた。空耳は天国に居る気分を壊す声だ。いい気分を壊された宏は目を開いた。回りに人のいる気配はなかった。宏は寝そべったまま真上の空を見た。豪華絢爛な空は光を失いつつある。やがて、空も海も暗くなる。星の光が点滅し始めるだろう。暗闇の空や海を見たくない、今目に見える自然の風景に浸っていたい。

「天国なんてないんだよ坊や。」

宏は再び目を瞑った。

宏が目を瞑った瞬間に再び老人の声が聞こえた。どうせ空耳だろう。老人の声は空耳だから空から聞こえたような気がしたがそうではないような気もした。もっと近くから聞こえたような気もしなが宏は目を開いて起き上がった。宏は心臓が爆発するくらいに驚いた。宏から一メートルも離れていない場所に老人が座っているのだ。宏がこの場所に来た時は人は居なかった。宏が浜に寝転んで目を瞑った時も回りには誰もいなかった。目を瞑っている時に人が近づいてくる気配はなかった。砂を踏む足音は全然聞こえなかった。それなのに宏のすぐ側に見知らぬ老人が座っていた。宏は驚いた。体が硬直してしまい逃げることができなかった。老人は黙って海を見つめている。

老人が宏の側に座るのは考えられないことであった。しかし、老人は宏の側に座っている。それが現実である。老人は空気のようにすうっと宏の側にやってきた。体は小さく、背を丸めて座っていた。老人の服は白い。それに白い髭を生やしている。顔はまるで仙人のようだ。老人は仙人なのだろうかと宏は思った。しかし、首を振ってすぐに打ち消した。この世に仙人なんているはずがない。隣に黙って座っている老人は仙人に似ているが人間の老人だろう。しかし、人間の老人であるなら宏が目を瞑っていたわずか数分の間に何百メートルも移動することはできない。それに足音を消して宏のすぐ側に来るのは無理だろう。もしかすると、うとうとしたのが数分だったと感じたのは勘違いなのだろうか。うとうとしていたつもりが本当はぐっすりと寝てしまったのではないだろうか。数分ではなくて数十分も寝ていたのかも知れない。宏は時計を持っていなかった。だから、何分間うとうとしていたのかはっきりとは分からなかった。

なぜ、どこからともなく見知らぬ老人が宏の側にや

って来たのだろうか。そして、「天国なんてないんだよ坊や。」と言ったのだろうか。謎めいたことである。宏は不思議な気持ちになって老人を見た。

宏の隣に座っている、まるで仙人のような風貌の老人は海を見ている。この老人は、もしかすると本物の仙人なのだろうか。仙人だから宏に気づかれないで宏のすぐ側に座ったのだろうか。宏は老人が仙人であることを完全に信じることはできなかった。が、完全に否定することもできなかった。

老人はもしかすると仙人かも知れない。しかし、仙人は山に住んでいる。海辺に住んでいる仙人を本で読んだことはない。芥川龍之介の小説のとししゅんに出て来る仙人も山奥に住んでいた。仙人は山に住んでいるもので海に現れるのはおかしい。仙人は紙袋を持っていた。しかし、仙人には必要不可欠である杖は持っていなかった。だから仙人ではないかも知れない。仙人かもしれないし仙人ではないかもしれない。宏は頭がこんがらがった。

老人は宏を見た。宏の驚いた顔は目を大きく開きとんまな顔になっていた。老人は宏のとんまな顔に一瞬とまどったようで、「ん。」と小さな声をあげて珍しそうに宏の顔を見た。暫く宏の顔を見ていたが、元に戻り、海を見つめた。そして、

「天国があると思っているのか。坊や」

老人はほっほっと笑った。

なぜ老人は「天国があると思っているのか。」と聞いたのだろうか。宏は老人が「天国なんてないんだよ坊や。」と言ったことに驚いたのではないし天国があるとかないとかを考えたわけでもない。

突然宏の目の前に仙人のような老人が現れて宏に質問したことに驚いたのだ。だから、「天国があると思っていたのか。」と老人が宏の心の中を覗いたとでもいうような質問に宏は答えることができなかった。宏は唖然として黙って老人を見つめた。老人は空を見上げた。老人につられて宏も空を見上げた。いつの間にか空にはいっぱいの星たちが輝いていた。家から見るより人家のない空気が澄んでいる海辺の星たちは鮮やかに見える

「天国は雲の上にあると思っているのか。坊や」

天国はあるに決まっている。子供の頃は雲の上に天国があると思っていた。しかし、雲は水蒸気の集まりであるし、飛行機に乗って雲の中に入ると雲が霧のようなものであるということが分かる。地上から見る雲は綿のようであり、雲の上に乗れそうに見えるが、雲の

中に入ると雲は霧のようなもので雲には乗れないことがはっきりと分かる。天国はあるに決まっているが、天国は雲の上にあるのではないことは分かっている。老人は「天国は雲の上にあると思っているのか。」と言って笑った。老人の笑いは宏をからかっているような笑いだ。宏は老人にむっとした。子供じゃあるまいし、雲の上に天国がないことは知っている。飛行機のない時代の雲の正体を知らない昔の人は天国は雲の上にあると信じていただろう。しかし、宏のような中学生で雲の上に天国があると信じている人間は居ない。旅客機は雲の上を飛ぶ。もし、雲の上に天国があったなら人間は天国の上を飛ぶことになる。天国は最上階にあり、死んだ人間しか行くことはできない。生きている人間には行けない場所なのだ。旅客機の下に天国があるなんて滑稽なことである。

宏は老人が宏を小馬鹿にしていると思った。宏は老人を睨んだ。老人は宏から目を反らしておっほっほと笑った。風は吹いていない。波はとても静かで波の音は聞こえないほどである。

「雲の上にはのう。天国はないのじゃ。」

そんなことは知っていると宏は目で言った。しかし、老人は宏から目を反らしていた。

「雲は水蒸気が凍ったものじゃ。雲は冷たい。雲は霧。雲は静電気。かみなりだ。ごろごろ。おっほっほ。」

老人は宏をからかうように話した。そして、

「期末テストに出るかも知れないのう。」

高笑いをした。変な老人だ。

「死んだら天国に行けると思っているのかい、坊や。」

と仙人みたいな風体をしている老人は言った。「坊や」と言われたのには癪にさわった。「僕は坊やじゃない。」と老人に言いたかった。昨日、姉に「チビ」と言われたことに宏は「チビチビと言うな。」といって怒った。姉は宏が怒った理由が分からなかった。「なぜ、怒るのチビ。」姉はいつもの癖で言葉の末尾に「チビ」をつけた。「チビ」と言ったことに宏はますます怒り、姉と喧嘩になった。

老人の「坊や」は「チビ」に近いニュアンスである。「坊や」と言うなと老人に言いたくなったが、口に出すのをためらった。初対面の老人である。「坊や」と言われて怒るのは大人気ないことだ。宏は老人が『坊や』と言うことはおもしろくなかったが、初対面であるし、相手が年が離れすぎている老人なので抗議はしなかった。

「死んだら天国に行けると思っているのかい、坊や。」

宏がなにも言わなかったので、老人は同じ言葉を繰り返した。死んだら天国に行くのは当たり前のことで、わざわざ聞く方がおかしい。ひょっとすると天国ではなくて地獄に行くかも知れないと老人は言いたいのだろうか。

「地獄に行くかも知れないと思っているのか、坊や。」と言って、老人は「おっほっほ。」と笑った。まるで宏の心を見透かしているような言葉だ。宏の心の動きを知っているということは、やはり、この老人は仙人なのだろうか。宏は死んだら天国か地獄に行くと思っている。

「地獄は地の下にあるのかな、坊や。」

老人はにやりと宏を見た。宏は気味悪くて顔をそむけた。

「地球の真ん中が地獄かのう。まさに灼熱地獄じゃ。」アッハッハと笑った。地の下に地獄があるというのはイメージできるし、地の下に地獄がありそうな気になる。しかし、地球は球であり、地の下は暗黒が永遠に続くのではなく、地の下の果ては反対側の国に出てしまう。沖縄の反対側はブラジルだから、この地の下はブラジルに出てしまう。地球の真ん中が地獄であるというのは地獄の価値が落ちてしまうし、地球の真ん中が地獄であるというのはイメージしにくい。しかし、天国がないというのは信じられない。死んだ後にどこに行くというのだ。雲の上が天国でないとしても、地球の真ん中が地獄でないとしても、死んだ人の魂が行く場所はきっとある。天国とか地獄というよりあの世というもの。あの世はあるに違いないと宏は思った。

「あの世があると思っているのかい。坊や。」

仙人のような老人は聞いた。宏は驚いた。宏はあの世については頭の中で考えたのだ。それなのに老人は「あの世があると思っているのかい。坊や。」と聞いた。老人は宏の頭の中が見えるようである。「天国は雲の上にあると思っているのか。」と老人は聞き、宏が天国が雲の上にはない思った途端に「雲の上にはのう。天国はないのじゃ。」と言い、地獄のことを考えたら「地獄に行くかも知れないと思っているのか、坊や。」「地獄は地の下にあるのかな、坊や。」と言った。老人は宏が頭の中で考えていることを知った上で話しているように感じる。

老人には宏の心を読めるのだ。他人の心が見えるなんて超能力者か仙人だけだ。普通の人間が他人の心を見ることはできないだろう。とすると、宏の側に座っている老人は仙人か超能力者なのだろうか。仙人は物語りに登場する人物である。現実に存在する者ではないと宏は考えていた。はるか昔は山奥に仙人が本当に生きていたかも知れない。それはあり得ないことではない。しかし、今の時代に仙人は存在しているだろうか。しかもここは山奥ではない。国道五十八号線沿いの海岸である。海岸に仙人が現れるなんて信じられない。宏は隣に急に現れた老人が仙人であることに半信半疑だった。宏はじっと不思議な老人を見詰めた。

暗い海を見ていた老人は宏の方を見た。宏は顔を背けようとしたが緊張しているために顔が動かない。老人は微笑んだ。宏は老人が怖くなって逃げたくなった。しかし、恐怖の性なのか体が硬直して動けなかった。老人の眼光は鋭く、老人の眼光に宏の肉体は縛られているように感じた。老人は暫く宏を見つめていたが、再び海の方を向いた。宏はほっとして体の緊張が解けた。

老人は紙袋の中をまさぐった。紙袋の中から菓子パンを取り出して宏にそのパンをあげようとした。菓子パンは宏の好きなメロンパンだった。メロンパンを見ると宏は急にお腹が空いてきた。家を出てからなにも食べていない。老人のメロンパンが食べたかった。しかし、宏は見知らぬ老人からメロンパンをもらうのをためらった。宏は首を横に振って、老人からメロンパンをもらうのを拒否した。宏の態度に老人はにやりと笑った。気味の悪い笑いだ。

老人は袋の中にメロンパンを戻した。袋の中に去って行ったメロンパンをほしがるように宏のお腹がぐうっと鳴いた。宏は思わずお腹を押さえた。老人にお腹の音が聞こえてしまっただろうか。宏は恥ずかしくなった。宏は老人の顔を見た。老人はお腹の音が聞こえなかった様子で、袋を脇に抱えて暗い海を見つめている。宏はお腹が空いていることを老人にばれなかったのでほっとした。でも、老人にお腹の音が聞こえて、老人がメロンパンを宏に進めてほしかった気持ちもあった。老人が袋に収めたメロンパンを食べたいと思う宏が居た。しかし、再びメロンパンを進められた時、宏は老人から菓子パンをもらうだろうか。もしかすると、二度目も老人からメロンパンをもらうことを拒否するかも知れない。拒否するかもしれないが、もう一度メロンパンを袋から出して欲しいと宏は思った。老人がメロンパンを袋から出して宏にあげようとするのを期待するのはお腹が減っている性だ。紙袋の中のメロンパンがうらめしい。

宏の気持ちを察知したのか、老人は紙袋の中に手を入れて紙袋の中をまさぐった。宏は老人の手はメロンパンを探していると思った。宏は老人がメロンパンを袋の中から出すことを期待した。老人にメロンパンをすすめられたら宏は断るだろう。得たいの知れない老人からメロンパンをもらうことはできない。しかし、もし老人がしつこくすすめたら宏は老人が差し出したメロンパンを食べるかもしれない。宏は複雑な気持ちで老人の様子を見ていた。

老人が紙袋から出したのはメロンパンではなかった。みかんだった。宏は期待がはずれてがっかりした。老人はみかんを宏にあげようとした。みかんは皮を剥いてあり、半分は食べられていた。宏はみかんは好きではない。皮がむかれていないみかんであっても宏は老人からもらうことはなかったが、老人の食べ残しのみかんは本当に食べたいとは思わない。宏は首を横に振った。老人はしつこくみかんを宏にあげようとした。メロンパンならもらっていたはずであるがみかんだったので宏は何度も首を振って断った。

老人は宏にみかんをあげるのをあきらめた。老人は海を見ながらみかんの皮を剥き、みかんのひとかけらを口に入れた。

なぜ、老人が宏のそばに座っているのだろう。海浜だから老人がどこに座ろうと自由である。老人が宏の側に座っても宏は不平を言うわけにもいかないが、海浜は広いのだし、座る場所は他にいくらでもある。それなのに老人は宏のそばに座った。

・・・老人は何者なのだろう。なぜ老人はぼくの側に座ったのだ。この場所は浜の一部で、浜の中でこの場所が特別にいい場所というわけではない。特別に景色がいいというのでもない。目に見えるのは海と空、国道五十八号線、もくもうの木。どこでも同じ景色だ。なぜ、老人はぼくの側に座ったのだろう。老人はぼくになにかを話すためにぼくの側に座ったのだろうか。でも、見たことも会ったこともない老人だ。なぜ、ぼくの側に座ったのかはっきりとした理由は知らない。不思議な老人だ。ぼくの心の中を読むこともできるようである。気味が悪い老人だ。

ぼくは歩き疲れたからこの場所に座った。これ以上歩き続けるのはきつかった。だから、北に進むことを中断してこの浜に入り、ここに座った、

ぼくは本当に疲れていたのだろうか。疲れてはいなかったかも知れない。疲れてここで立ち止まったのかというとそれは本当ではないのかも知れない。ぼくは

何時間も歩き続けた。ここは家からかなり離れた場所だ。ぼくは家からとても遠いところまで来てしまった。ぼくの心にはこれ以上進んでいくと家に帰れなくなるのじゃないかという不安が出てきたのかもしれない。このまま北の方に進んで行くと家に帰る道を見失ってしまうにちがいないという不安が出てきたから、ぼくはここで立ち止まったのだろう。疲れたからではない。家に帰れなくなるのではないかという不安が生じたために止まったのだ。

そうだろうか。ぼくは家出をしたのじゃなかったか。ぼくは家には二度と帰らないつもりで国道五十八号線を北の方に歩き続けたのではなかったか。ぼくの心の中に家から遠く離れてしまうと家に帰れなくなるという不安があるだろうか。あるかもしれないがないような気もする。

昨日の夜、ぼくはねえさんと喧嘩した。ぼくはねえさんをひどくののしった。ぼくはねえさんをののしったことが恥ずかしい。ねえさんは悪くない。ぼくが「チビ」という言葉に神経質になったからだ。ねえさんは子供の頃からぼくを「チビ」と呼んで年の離れた弟のぼくを可愛がった。

ぼくはきのう、「チビ」と呼んだねえさんをののしった。突然のぼくの怒りにねえさんは途惑っていた。しかし、ぼくの悪態にねえさんもとうとう怒り出し喧嘩になった。ぼくはなにを言ったか覚えていない。多分、ねえさんの悪口を吐いただろう。あんなに怒ったねえさんを見るのは初めてだ。もう、ねえさんと顔を合わせることができない。ねえさんと一緒の家に居ることはできない。

もう、ぼくは家に戻れない。学校にも行けない。ぼくは星になった方がいい。・・・

「死んだら星になると思っているのか。坊や。」

自問自答している宏の耳に老人の声が入ってきた。宏が星になった方がいいと思った直後に「死んだら星になると思っているのか。坊や。」と老人は言った。やっぱり老人は宏の心の動きを読めるようだ。宏は心を見透かした老人の言葉にドキッとして思わず老人を見た。老人はほっほっと笑った。宏を小馬鹿にしたような笑いだ。

死んだら夜空の星になると誰でも思うものだ。そう思うのは自然だし、理屈ではない。人間は子供の時から星を見ている。夜空の遠い遠い星たち。死んだら、魂は地球から離れて小さな星になると童話にも書いてあるし、大人もそう言う。星を見ていると誰でも死んだら星になると思うのが普通だ。

「死んだら星になると本当に思っているのか。坊や。」

老人は笑った。宏は老人にかかわれているようで不愉快になった。「死んだら星になると本当に思っているのか。坊や。」と言われたら困る。宏は中学生である。理科の授業で宇宙と星については勉強した。死んだら星になるなんて本気に思っているわけではない。星はとても離れた距離にあり、夜空にうかんでいる砂粒のような星でも実際の大きさは地球のように大きい。地球よりずっと大きい星だってたくさんある。常識の話だ。人間の魂が地球のような大きい星になれるわけがはない。そんなことはぼくだって知っている。

「星は小さくない。地球より大きいのだ。坊や。」

宏はむっとして老人を睨んだ。「そんなことは知っている。ぼくは中学生だ。理科で宇宙の星の勉強はした。星が地球よりも大きいことくらいは知っている。星が砂粒のように小さく見えるのはとても遠い場所にあるからだ。」と宏は心で思いながら自分を小ばかにしている老人を睨んだ。老人は睨んでいる宏を見ていなかった。老人は暗い海の水平線を見ていた。

「人間の魂は星にはなれないのじゃ。坊や。」

老人の口は動いていないが、老人の声は聞こえた。老人は腹話術師のように口を動かさずに話すことができるようだ。老人は空を見上げた。

「光の速さを知っているかな。坊や。」

「光はのぅ一秒間に地球を七回半回る速さじゃ。たった一秒で地球を七回半も回るのじゃぞ。一光年というとな、一秒間に地球を七回半回る速さの光が一年間進む距離じゃ。」

「あの星は百光年離れた場所にあるんじゃ。百光年じゃぞ。あの星の光は百年前の光なのじゃ。」

「あれは千年前の光、あれは一万年前の光、あれは十万年前の光、あれは百万年前の光、あれは一千万年前の光、あれは一億年前の光、あれは百億年前の光。あの光は一千億年前の光、一兆、十兆。」

「魂が光の速さで移動しても、あの星に辿り着くのに一億年もかかる。」

老人は宏を見た。そして、ふっふっふと笑った。無知な宏を揶揄している笑いだ。

「魂が光と同じ速さがあるとしたら、人間が魂になって星になるにはとても長い時間が掛かるのじゃぞ。一年なら短いほうじゃ。普通は百年以上はかかるじゃろう。死んでから星になるには百年もかかるのじゃ。それでも坊やは魂になって星になりたいのか。しかも、地球よりも大きい魂にじゃ。」

老人は笑った。宏が星になりたいと思ったのはほんの一瞬だ。それは感情的なものであって、宇宙の知識は抜きにしたものだ。人間には非科学的な感情がある。目、口、鼻、手、足で感じたものを素直に受け入れる心の作用だ。目で見る星はとても小さい。そして無数にある。魂が星になると思うのは自然な発想だ。

「坊や。死んで、坊やの魂はどの星になりたいのじゃ。わしがその星に坊やの魂が辿り着く年数を教えてやろう。どれどれ。」

老人は宏と顔がくっつくほどに接近した。西の三時の方を指して、

「ほう、あの星になりたいのか。」

宏は老人から顔をそむけて空を見ていないのに、老人は勝手に宏が望む星を決めた。

「あの星はのう。ここから一万光年離れている星じゃ。坊やは十五歳じゃったな。坊やは地球でたった十五年間生きた後に、魂は光と同じ速さで宇宙の中を一万年も走り続けるのじゃ。たった十五年生きて、一万年の光速の宇宙の旅じゃ。坊やの魂は一万年もの間、ひたすら暗い宇宙を走り続けるのじゃ。一万年もじゃよ。おっほっほ。」

老人は愉快そうに笑った。宏は老人に馬鹿にされているようで不愉快だった。

「空には天国はないのじゃ。宇宙には天国はないのじゃ。月にはうさぎは住んでいないのじゃ。坊や。」

老人は自慢そうに笑った。

「天国は星たちの向こう側にあるのかい。それとも雲の上にあるのかい。坊や。」

そんな風に質問されると宏は困る。天国が星たちの向こう側にあるのかそれとも雲の上にあるのか宏は知らない。天国というものは科学的に考えるものじゃないような気がする。魂とか死後の世界とかというものは現実の世界ではない。観察することはできないからはっきりとした確証があるはずはないのだからあるようでないような、ないようであるような、そういうはっきりしない中で天国はあるだろうというように思うしかない。死んだら天国へ行くとかあの世へ行くというのは確かなのだから、あれこれと深く考えて頭が混乱するよりは適当に考えていればいいことなのだ。宏はそう思った。

「天国は銀河系の中にあるのかい。銀河系の外にあるのかい。坊や。」

つづく

アートハイク

読谷村の古堅小学校は米軍基地の金網に囲まれている。私が通っていた頃は、小中学校だった。９年間、金網に囲まれた学校に通った。

ボールが金網の中に入ると、ボールを取るために鉄条網の金網を超えて米軍基地に入った。何度も入った。入った瞬間に異次元の世界に入ったような気持ちになった。

読谷村にある通信基地のトリイステーションである。左側の建物はとても頑丈であり窓がなかった。そのビルが通信基地であり、アジア全体の情報が通信で入ってくると聞いていた。目の前のビルがアジア、世界と通じていると思うとスケール大きい世界の隣にいるような気がしたものだ。でも、学校の半分が米軍基地の金網に囲まれているのは異様だ。あってはならない。あってはならないことが今も続いている。

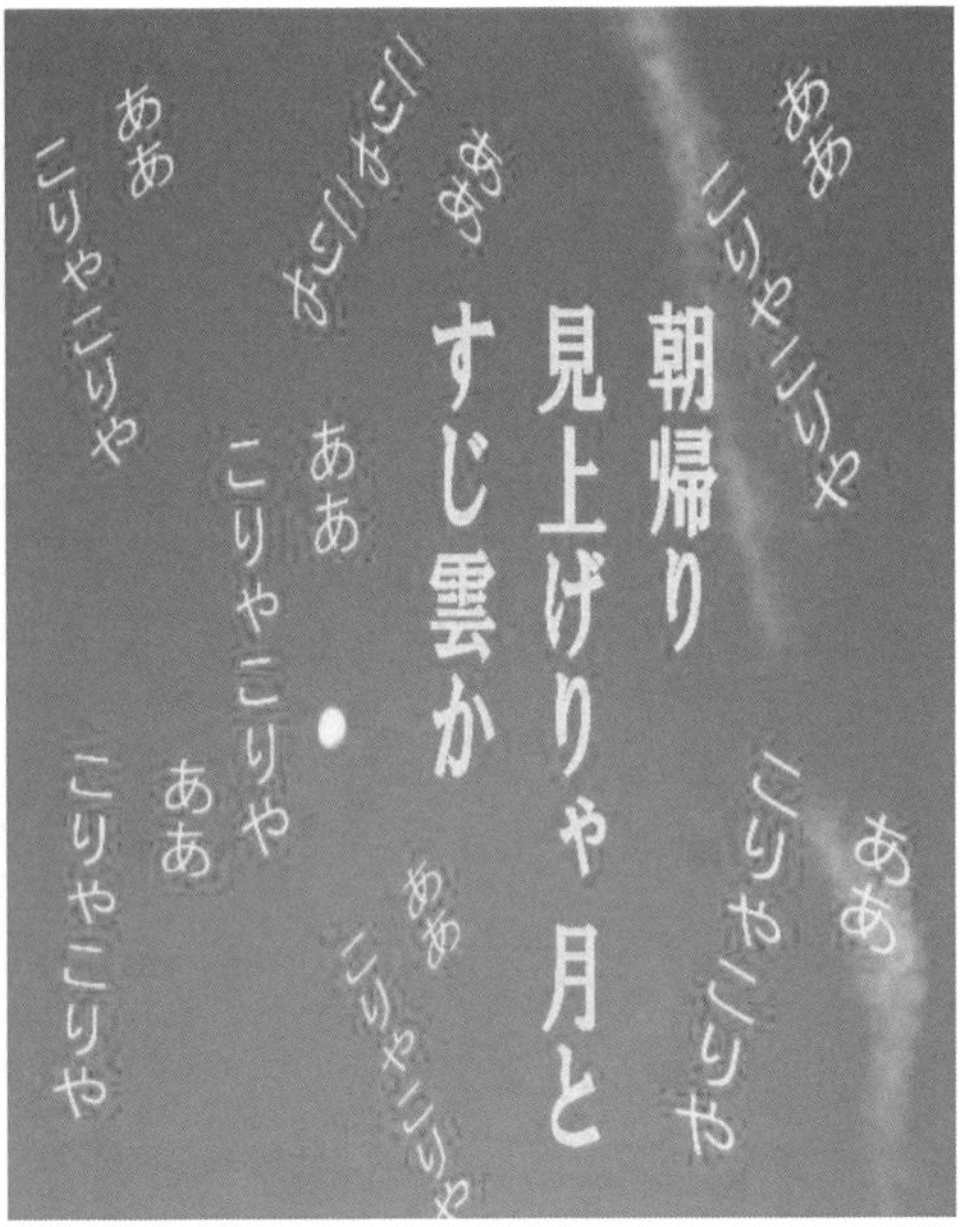
ああ
こりゃこりゃ
ああ
こりゃこりゃ
朝帰り
見上げりゃ月と
すじ雲か
ああ
こりゃこりゃ
ああ
こりゃこりゃ
ああ
こりゃこりゃ
ああ
こりゃこりゃ
ああ
こりゃこりゃ

神経を
ねじってねじって
昼昼昼

はかなさを
恨んで叫んで
散っていく

スーちゃん哀歌

風に吹かれて　流されて
ついた所が　コザの街
十字路　がじゅまる　飛行場
旅の空に　白い雲

夢を見ました　故郷の
幼いおれと　スーちゃんが
神社の庭で　かくれんぼ
柿の木の下　まあだだよ

人が行きます　人が来る
諸味のバス停　人眺め
タバコくゆらし　仲ノ町
おいらはおいらで　生きていく

夢のまにまに　旅をして
旅のまにまに　歌うたい
歌のまにまに　空を見て
かわいい　スーちゃんを
思い出す

しあわせを
求めて　ひしめく
あか　みどり

廃屋敷
憂いの草木に
春の花

花咲かすと
すくすく育つ
グラジオよ

寒き日々
熟れる時待つ
カニステル

さらっと飛ぶ
夢の行き場が十五の五階
神経をねじってねじって昼に昼
うすらいでまたうすらいで
春夏秋冬
たたっ切って堕ちていく我が青春
抱きしめて抱きしめて涙今日の夜

うとうとまどろむ夢に
針をさす
生きろ生きろ殺せ殺せ現世の昼
佇立して佇立して昼を佇立して
殴れ殴れ八方の顔を苦の世だから
我が血見て
心のなごむ昼の闇

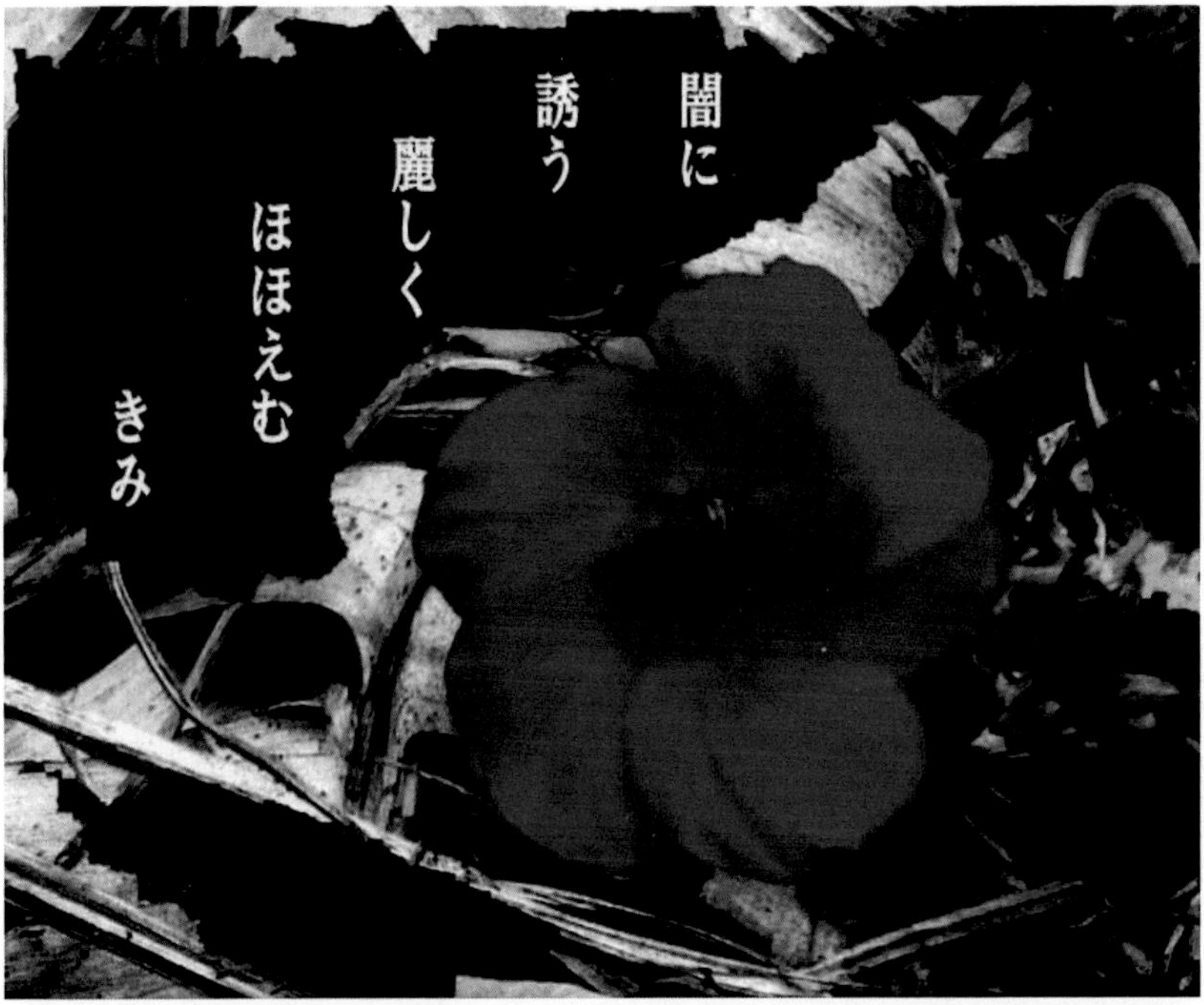
闇に
誘う
麗しく
ほほえむ
きみ

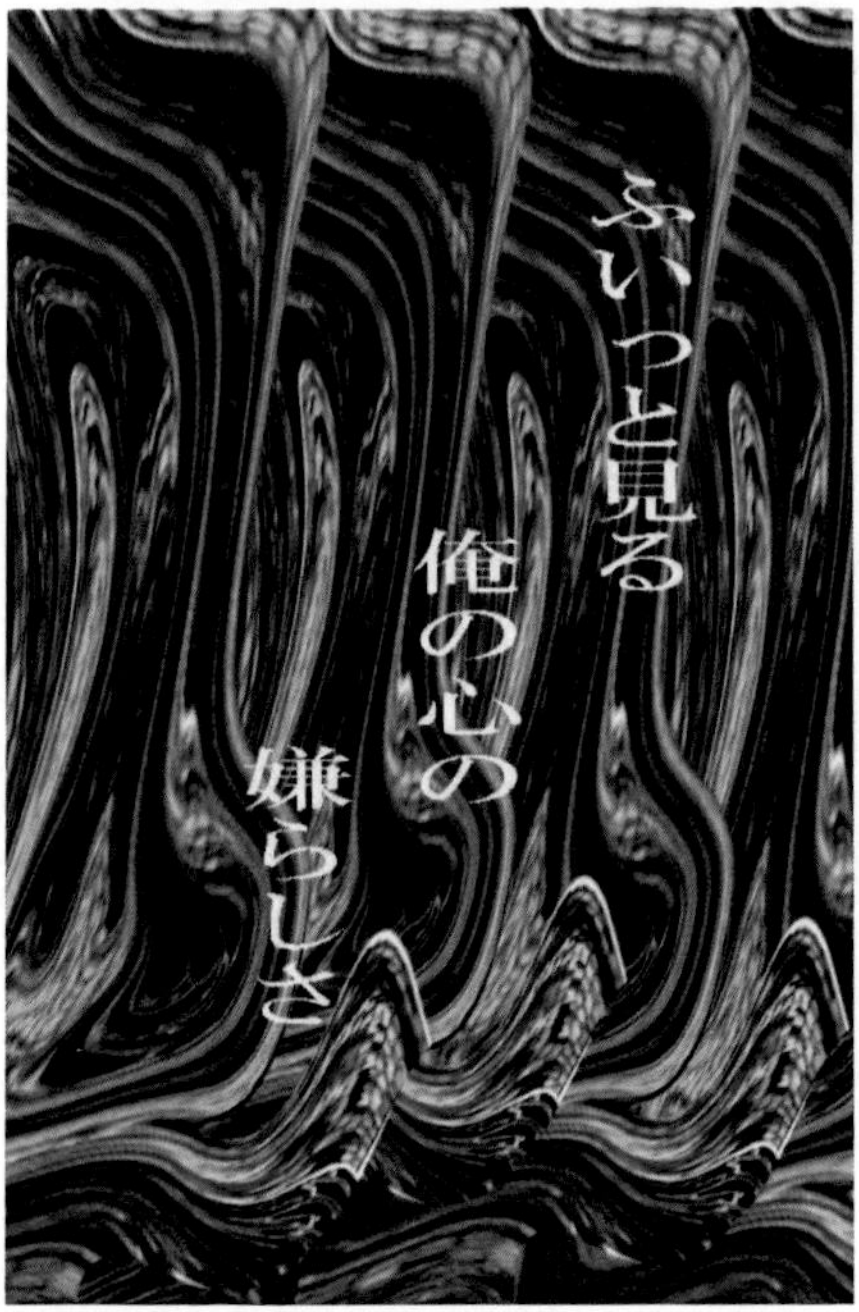
ふいっと見る
俺の心の
嫌らしさ

茜空
忙しい雲に
闇の松